GLIMLACH UIT HET VERLEDEN

Julia Burgers-Drost

Glimlach uit het verleden

Spiegelserie

 Zomer &Keuning

ISBN 978 90 5977 337 0
NUR 344

www.spiegelserie.nl
Omslagontwerp: Bas Mazur
©2009 Zomer & Keuning familieromans, Kampen

1

'TOT ZIENS... WE HOUDEN CONTACT!'

Manou geeft vlot antwoord. Ja, dat moeten ze doen. Contact houden! Maar zodra ze in haar auto zit, schudt ze haar hoofd. Ze heeft geen behoefte aan contact met oud-klasgenoten. Ze was dan ook eigenlijk niet van plan de reünie te bezoeken. Alleen omdat haar moeder zo aandrong, is ze gegaan. Zo leuk om die en die weer te zien, herinneringen ophalen aan een onbezorgde tijd!

Manou griezelt. Zo onbezorgd was de schooltijd niet. Ze kon goed meekomen, maar daar was ook alles mee gezegd. Haar vriendschappen waren niet hecht, niet blijvend.

Ze start de motor en ziet nog net dat een paar oud-klasgenoten naar de vrij nieuwe Saab waarin ze rijdt, wijzen. Automatisch steekt ze een hand op en rijdt de straat uit die in haar herinnering zo breed was als een boulevard.

De wagen van haar onlangs overleden vader. Nou ja, heeft ze toch iets om mee te pronken. Ze heeft niet, zoals de meeste anderen, een man en kinderen. Of een baan om u tegen te zeggen. Niets van dat alles. Zoals de ex-vriendinnen kwebbelden over hun spruiten! Manou voelde zich, net zoals dat vroeger vaak het geval was, een buitenstaander. Ze is nu eenmaal niet vlot van de tongriem gesneden. En de juiste antwoorden en reacties schieten haar vaak uren later pas te binnen. Dít had ze moeten zeggen, of dát!

Enfin, nu is ze op de terugweg naar huis dat niet langer echt thuis is, nu haar altijd bezige vader er niet meer is. Hij niet, zijn bedrijf niet. Een bedrijf dat haar hele leven heeft bepaald, want al jong moest ze meewerken in het verhuisbedrijf. Nee, er werd niet van haar verwacht dat ze zware meubelstukken hielp in- en uitladen. Haar taak bestond voornamelijk uit het helpen met de boekhouding én bepaalde verhuizingen waarbij de cliënt zelf niets behoefde te doen. Het bedrijf verzorgde alles tot in de puntjes. Inpakken van serviesgoed, boeken, snuisterijen, dat was de taak van Manou. Gordijnen van de ramen halen, ze keurig opvouwen en in dozen stoppen. Vader had haar ingeprent dat ze vreselijk voorzichtig moest zijn met de spullen van anderen. Iets breken betekende onnodige kosten. Naarmate de jaren vorderden, steunde Ruud Altena steeds meer op zijn dochter.

Manou hield de administratie bij, bewaakte de telefoon en plande afspraken. Nooit hebben haar ouders gevraagd of ze wel in de zaak wilde werken, of dat ze liever een studie zou willen volgen. Het sprak allemaal vanzelf. Waarom buiten de deur werken als je dat thuis kon doen?

Manou kan niet zeggen dat ze veel vrienden en vriendinnen heeft, zoals haar moeder. Ze lijkt meer op haar vader, die een stugge en gesloten man leek, maar wel één met een hart van goud.

Manou knippert met haar ogen om de tranen terug te dringen. Wonderlijk, zo goed haar moeder met het verlies omgaat. Dankzij mams inspanningen is het bedrijf snel na het overlijden van haar man Ruud verkocht. En nog wel aan de concurrent. Manou denkt vaak: dat had pa eens moeten weten!

Haar moeder noemt het anders. Namelijk: het ijzer smeden als het heet is. Een goed bod krijg je vaak geen tweede keer.

Nu is het wonen op het bedrijfsterrein niet meer wat het altijd is geweest. In stilte heeft Manou het besluit genomen binnen niet al te lange tijd op zichzelf te gaan wonen. Dankzij haar vaders investeringen heeft ze een aardig kapitaaltje op de bank en zou ze zelfs een klein huisje kunnen kopen. Maar voorlopig is daar geen sprake van. Ze wil het haar moeder niet aandoen. Misschien over een halfjaar!

Langs de stad, dwars door de polder richting industrieterrein. Langs de opslagplaatsen, de filialen van grote winkelketens, een bouwmarkt, de tegeltoko, een hoveniersbedrijf. En daar, tussen een houthandel en een nieuwbouwproject, is het verhuisbedrijf 'voorheen Altena', gevestigd. Nog even, dan is ook dat bord vervangen. Ze zet de Saab op de vaste plaats naast het aardige woonhuis.

De klok is net verzet, maar daar is op een sombere dag als vandaag niets van te merken. Manou sluit de wagen af en loopt met gebogen schouders naar binnen. De sleutels legt ze op het haltafeltje, waar ze horen.

Ze hoort dat haar moeder de tv aan heeft staan. Zoals gewoonlijk te hard. Ze hebben immers geen buren die over geluidshinder kunnen klagen?

Ze hangt haar jas zorgvuldig weg in de kast. Een blik in de spiegel boven de haltafel laat een trieste jonge vrouw zien. Manou plakt een glimlach om haar mond. Dat lijkt al iets beter. Nu de ogen nog, maar die doen niet mee. Lichtbruine ogen, sluik – ook al bruin – haar.

'Ben je daar?' roept Riekje Altena vanuit de kamer. 'Er is nog koffie!'

'Er is nog koffie, dag mama,' zucht Manou.

Ze schenkt zich een mok koffie in, ziet een brok dik speculaas op een bordje liggen en eigent zich dat toe. 'Hoe was het? Leuk?' roept Riekje.

Manou loopt naar de huiskamer en stoot met een elleboog de deur open.

'Dag mam. Lekkere koek, zeg! Mag de tv wat zachter?'

Riekje klaagt dat ze doof wordt, waar haar dochter nooit wat van merkt. 'Het zal van de spanning komen. Vertel, heb je het leuk gehad? Ik heb de hele middag aan je zitten denken en reken maar dat ik je benijdde! Er is toch niets leukers dan herinneringen ophalen!'

Manous mondhoeken zakken alweer omlaag.

'Er was letterlijk niets aan. Iedereen was veranderd. De jongens waren heren geworden, sommige in driedelig pak. En de meisjes... ze zijn bijna allemaal getrouwd en hebben ook al kinderen! Ik voelde me net een achtergebleven gebied.'

Riekje zet de tv op fluistersterkte. Ze kijkt geschokt haar dochter recht in het gezicht. 'Dat meen je niet. Schaam je! Als je vader dat hoorde... Denk nu maar niet dat het 't toppunt van geluk is als je achter een kinderwagen loopt. Ik kan het weten! Jij was een huilbaby!'

Manou zegt met volle mond: 'Moet ik me daarvoor verontschuldigen, mam?'

Riekje hoort haar niet eens. 'En menigeen die te jong trouwt, krijgt spijt als haren op zijn hoofd. Vrijheid, blijheid, meid!'

Manou vraagt zich in stilte af of mama het weduwe-zijn ook zo opvat. Ze schudt haar hoofd. Dat is lelijk gedacht. Zeker weten dat haar ouders van elkaar hielden en het goed hadden samen.

Riekje gaat zo zitten dat ze elkaar goed kunnen aankijken. 'Ik heb vanmiddag zitten bedenken dat ík weleens een kijkje in de levens van mijn jeugdvrienden en -vriendinnen zou willen nemen. Herinneringen ophalen, horen hoe hun levens zijn verlopen. Ja, dat heeft me nu al uren beziggehouden!'

Manou zet haar mok op tafel en veegt de kruimels van haar mond. Ze is een en al verbazing.

'Kom nou, mam! Ik heb je altijd horen roepen dat je nooit ofte nimmer terug wilde naar je geboortedorp. Dat je geen belangstelling had voor je ex-buren en je schoolvriendinnen. Wat heeft die verandering bewerkstelligd?'

Riekje hoort niet wat Manou te berde brengt en zaagt door over de heerlijke jeugd die ze in het dorp heeft gehad. Iedereen kende elkaar. Er was werk in overvloed, vanwege de industrie. Er was een grote wasserij en niet ver daarvandaan een kartonnagefabriek. Bedrijven die vanwege het toevoerwater uit de sprengen goed konden functioneren. En dan was er nog de groeiende toeristenindustrie van kampeercentra, waar ook heel wat dorpelingen hun brood konden verdienen.

Riekje vertelt, de ogen halfgesloten. En vertellen kán ze. Manou zíet de rustige straat die het dorp in tweeën sneed. De gezellige winkels, waar vaak meer gebabbeld dan gekocht werd. De intieme scholen. 'Er waren er twee. Een openbare en een school met de Bijbel. In die tijd liepen er zelfs nog enkele kinderen op klompjes, herinner ik me. En er waren standsverschillen. Bovenaan stonden de directies van de bedrijven met hun gezinnen. Dat was een gesloten circuit. Dan de mensen met witte boorden. Die voelden zich boven de arbeiders staan, dat was toen echt zo. Maar buiten het dorp waren ook de nodige boerderijen. Weer een andere groep. Soort hoorde bij soort, je trouwde zelden met iemand uit een andere klasse!'

Riekje is zo vol van de herinneringen dat ze vergeet te informeren naar de belevenissen van haar dochter.

'Weet je wat ik nu zou willen?'

Manou schrikt op uit haar eigen gepeins. 'Laat me raden, mam. Een dagje naar de Veluwe!'

Riekje knikt. 'Bijna goed. Je zit in de richting. Nee, ik wil er een huis huren voor de komende winter. De muren komen op me af en die nieuwbouw hiernaast maakt me dol vanwege al het lawaai. En uiteindelijk zoek ik daar een makelaar en wie weet heeft hij een leuk huis voor ons!'

Nu is Manou helemaal bij het gesprek. Ze kan haar oren niet geloven. Mam die terug wil naar de Veluwe, terwijl ze zolang ze zich herinneren kan, beweerde dat ze blij was daar weg te zijn, weg van de heidekneuters.

Als Manou haar verbazing uit, knikt haar moeder begrijpend. 'Ja, dat was ook zo. Maar na de dood van pa ben ik anders gaan denken. Ik heb soms zelfs een gevoel van heimwee! Ik ben nog niet echt oud, bijna vijftig is tegenwoordig nog jong. Als pa was blijven leven zou ik er misschien nooit over gedacht hebben.'

Manou somt allerlei bezwaren op, maar Riekje wuift ze allemaal weg.

'Ik heb op internet gezocht. En wat blijkt, er zijn in de plaats zelf huizen te huur. Tijdelijk. Precies wat we zoeken!'

Manou denkt: we?

'We kunnen natuurlijk niet zonder meer in het verhuurcircuit terecht, we zullen het van privéadressen moeten hebben. Desnoods zetten we zelf een advertentie. Vandaar kunnen we in alle rust een fijne woning gaan zoeken. En vinden! Ik ben zo benieuwd hoe ik alles daarginds aantref!'

Wat Manou de melodie van 'Het dorp' van Wim Sonneveld doet neuriën.

'Alles is daar veranderd, mam. Kijk hier in de stad, wat is daar binnen tien jaar niet veranderd? Winkels zijn van de een op de ander overgegaan. Straten werden verlegd, kijk bijvoorbeeld hier naar het industrieterrein. Toen wij hier kwamen wonen waren we bijna de eersten. En moet je nu zien... zo zal het in jouw dorp ook wel zijn gegaan.'

Riekje schudt haar hoofd. 'Sommige dingen, lieverd, blijven zoals ze waren. Laat mij mijn gang maar gaan. Ik heb al iemand gevonden die hier graag – tijdelijk – wil wonen. Een van de werknemers van de man die ons bedrijf heeft overgenomen. Kon niet beter, want een leegstaand huis is een prooi voor krakers en weet ik wie nog meer.'

Manou begrijpt dat haar moeder al langer dan vandaag met toekomstplannen bezig is geweest.

De volgende dag vindt Manou haar moeder in vaders kantoor, zittend achter de computer. 'Ik heb wat gevonden, Manou. Mensen die hun huis voor een halfjaar verhuren, omdat ze uitproberen of overwinteren in Spanje iets voor hen is. Ik heb al een mailtje gestuurd. Afwachten! En ik denk te weten waar hun huis staat. Een beetje gelijk krijg je wel van me, wat betreft veranderingen. Ik heb een plattegrond uitgedraaid van Hoogwouden. Er is veel bijgebouwd in de vijfentwintig jaar dat ik er weg ben. Maar goed, ik denk dat toch veel nog herkenbaar is. Ik zal je wijzen waar ik met mijn ouders heb gewoond... Dat straatje, tussen de velden met uitzicht op bossen. Die velden zijn volgebouwd. En het huis dat te huur wordt aangeboden, staat dáár!'

Manou buigt zich over haar moeders schouder. 'Dat groen is bebossing. Het huis staat waarschijnlijk behoorlijk vrij, ik bedoel te zeggen dat het niet een uit een rij is. Maar mam, we zullen toch echt eerst moeten gaan kijken, vind je niet? Welke datum heb je aan de nieuwe chef doorgegeven?'

Riekje legt haar handen naast het toetsenbord. 'Over twee weken. Eigenlijk binnen twee weken!'

Manou is verontwaardigd. 'Mam dan toch! Waarom heb je dat niet even met mij overlegd? Besef je wel wat er nog allemaal gebeuren moet voor we hier weg kunnen?'

Jawel, daar heeft Riekje goed over nagedacht. 'Dingen waar de nieuwe bewoners van af moeten blijven, slaan we op. We hebben – hádden – niet voor niets een verhuisbedrijf! Vloerbedekking en gordijnen halen we niet weg. Ik moet nog overleggen met de nieuwe baas wat de huurders nodig hebben. Misschien willen ze wel dat we ook wat meubilair laten staan.'

Ontstemd gaat Manou aan het werk. Stoffen, planten water geven en de koelkastvoorraad nazien. Sinds de dood van pa laat haar moeder veel aan haar over. Manou haalt uit een la pen en papier om een boodschappenlijstje te maken. Melk, boter, groenten en fruit. Als het aan haar moeder ligt, eten ze elke dag een diepvriesmaaltijd.

Opeens verlangt ze terug naar de tijd die voorbij is. En nooit terugkomt. Ze was, net als pa, één met het bedrijf. Ze mist de drukte, de spanning of het schema klopte en precies werd uitgevoerd.

Het kost moeder en dochter de nodige moeite om na het onverwachte overlijden van Ruud, man en vader, het dagelijks ritme weer op te pakken. Vooral de ochtenden zijn moeilijk. Bovendien mist Manou haar werkzaamheden. Abrupt is alles na de dood van haar vader afgebroken. Het bedrijf dat hun firma wilde overnemen stond de week na de begrafenis al op de stoep om te onderhandelen. Vreemd genoeg, vond Manou, leek haar moeder opgelucht dat ze de verantwoording voor de zaak die ze samen met haar man had opgebouwd, zo gemakkelijk kon loslaten. En nu wil ze zelfs op korte termijn verhuizen! Met dat idee is Manou niet echt gelukkig. Maar, zo heeft ze besloten, ze zal voorlopig haar moeder niet in de steek laten. Ze hoort het haar vader zeggen: 'Let een beetje op je moeder, lieverd.'

Heel voorzichtig begint ze te dromen van een zogeheten eigen leven. Een bestaan waarin ze zelf kan beslissen waar ze woont en hoe ze haar toekomst invult. Als haar vader was blijven leven, zou ze misschien uiteindelijk het bedrijf hebben overgenomen.

Riekje Altena is haar hele huwelijk lang een soort schaduwfiguur geweest. Ze stond letterlijk en figuurlijk achter haar man, en hun dochter Manou zag zij als Ruuds verlengstuk.

Manou denkt soms dat haar moeder opgelucht is bevrijd te zijn van het bedrijf. Maar... soms lijkt het of ze ook dankbaar is verlost te zijn van de huwelijksband. En dat doet Manou pijn. Ze mist haar vader dagelijks en bij elke beslissing denkt ze: hoe zou pa daarover geoordeeld hebben?

Hoe zou hij het gevonden hebben dat zijn vrouw meerdere keren per dag mailt met de mensen van wie ze het huis voor minstens een halfjaar wil huren?

Veel tijd om te tobben heeft Manou niet. Terwijl haar moeder bezig is per computer hun vertrek te regelen, is het Manou die zorgdraagt voor de verhuizing. De mannen van het bedrijf zijn behulpzaam genoeg, ze betreuren de dood van de chef net zo goed als de familie. Maar dankbaar zijn ze ook. Het bedrijf is immers vlot overgenomen, niemand hoefde voor zijn baan te vrezen!

Manou is ervaren wat sorteren en inpakken betreft. Doos na doos verdwijnt naar de opslag. Zodra de mannen vrij zijn, komen ze om de meubelstukken die gemist kunnen worden op te halen. Zo wordt het huis leger en leger.

Op een dag komen de nieuwe huurders. Een boekhouder die met de nieuwe chef meeverhuisd is. Ze zijn tevreden over de woning en willen graag sommige dingen lenen of huren. De keukeninrichting, bijvoorbeeld. Manou is al blij dat ze de laden niet hoeft te legen. Ook krijgen ze het verzoek of een paar meubels mogen blijven staan tot er nieuwe gekocht kunnen worden.

Het is Manou die de onderhandelingen voert. Riekje heeft andere dingen te doen. Ze leeft momenteel in de toekomst, ontdekt Manou. 'Luister, lieverd. We zullen zo langzamerhand onze spullen moeten pakken...' Waarop Manou uitvalt: 'Waar zit je met je gedachten, mam? Kijk eens om je heen! Ik ben al dagen en dagen aan het inpakken!'

Met een smak komt Riekje terug in het hier en nu. Ze probeert zichzelf goed te praten. 'Ik bedoel natuurlijk onze kleding en de persoonlijke dingen. En wat mij betreft, ik zal blij zijn als we hier weg zijn!'

Daar schrikt Manou van.

'Was je hier dan ongelukkig, mam? Of komt het doordat alles je aan pa herinnert?'

Riekje biecht op dat vanaf haar trouwen de omgeving haar tegenstond. 'Kaal, vlak... te ver van de bewoonde wereld. Nooit even een boodschapje kunnen doen, altijd moest je de auto gebruiken. Ik miste meteen de omgang met buren en mensen uit de straat. Ik was het zo gezellig gewend, weet je.'

Manou schudt niet-begrijpend haar hoofd. Zelf vond ze het hier heerlijk. De vrijheid, de rust. Het industrieterrein is na sluiting van de grote winkelketens nog net niet uitgestorven.

'Als je vader was blijven leven en uiteindelijk gepensioneerd zou zijn, dan waren we waarschijnlijk ergens aan de kust gaan wonen. Dat was je vaders wens.'

De kust en niet de Veluwe, zoals nu het geval is.

Het inpakken van kleding en spullen die moeder en dochter niet willen missen, is snel gebeurd. De Saab wordt volgestouwd. 'Moeten we een aanhanger gebruiken?' denkt Manou hardop. Riekje vindt dat onzin. 'Laat de dozen met zomerkleding maar in de opslag zetten. Het duurt minstens een halfjaar voor het lente wordt!'

Manou sjouwt en sjouwt.

Samen met Riekje struint ze op de laatste dag van hun verblijf door de woning, op zoek naar vergeten dingen.

'Het is of we op een lange vakantie gaan!' glundert Riekje.
'De huurders mogen dankbaar zijn: de bedden blijven staan, de huis-kamermeubels... de keukenspullen ook. Ze kunnen er zo in!'

De laatste nacht slaapt Manou bijna niet. Ze herleeft haar leven, haar kindertijd, de middelbareschoolperiode. Plannen genoeg voor de toekomst, maar pa had haar nodig.
En het is geweldig om nódig te zijn. Hij heeft goed voor haar gezorgd, zeker op financieel gebied. Een salaris om respect voor te hebben en nu, na zijn dood, ontvangt ze een grote som geld. Ze zou zonder meer een eigen huisje kunnen kopen, wat stilletjes toch een goed gevoel is.

De volgende morgen staat Manon vroeg op, doucht zich en trekt de gemakkelijke kleding aan die ze heeft klaargelegd. Haar kamer is voor haar gevoel ontzield. Met rukkerige bewegingen haalt ze haar bed af. De dekbedden kunnen blijven, maar de hoes en sloop en onderlegger gaan de wasmachine in.
Straks, als ook haar moeder wakker is, draait ze voor het laatst – voorlopig in dit huis – een was.
Zonder de spiegel te gebruiken bindt ze het haar in een staartje. Eerst maar naar beneden met het wasgoed. Haar koffer komt straks wel. Beneden gekomen overvalt Manou een gevoel van heimwee. Terwijl ze nog niet eens weg is!
Ze hoort op het terrein het vertrouwde geluid van startende wagens, het geroep van de mannen.
Ze stopt het wasgoed in de machine en gaat voor het raam van de bijkeuken staan om naar buiten te kijken. Ze huivert, ondanks de dikke trui die ze draagt. Buiten ziet ze tussen twee gebouwen door een stuk weiland, dat witbevroren is.
Vorst, terwijl het nog niet eens november is. De lucht is helder, wat gelukkig betekent dat het voorlopig droog blijft. Manou schrikt op als ze een snik hoort, tot ze ontdekt dat die van haarzelf komt.

Gewend als ze is om aan te pakken, schudt ze alle negatieve gedachten van zich af en gaat naar de keuken om voor het ontbijt te zorgen. Sinaasappels persen, brood roosteren, theezetten. Maar ook koffie. Ze is van plan een thermoskan te vullen voor onderweg, zodat ze geen stop hoeven te maken. Volgens haar moeder is het nog geen anderhalf uur rijden. Maar ja, dat is een berekening waar geen files of andere opstoppingen bij zijn ingecalculeerd.

Riekje komt geeuwend de keuken binnen en, vlot voor haar doen, al helemaal gekleed. 'Nu gaat het gebeuren, Manou. Ben je ook zo opgewonden? Ik heb als een blok geslapen, voor het eerst sinds pa er niet meer is.'

Ze ontbijten zwijgend, allebei vol van hun eigen gedachten.

Een klop op de achterdeur: een van de werknemers komt afscheid nemen. 'Ik was er niet bij toen jullie gistermiddag de ronde kwamen maken. En ik wil toch even zeggen dat ik bij de baas fijn gewerkt heb, vergeten doe ik hem niet.'

Manou krijgt een schouderklop, ze is altijd 'een van de mannen' geweest. Riekje biedt hem een kop thee aan. 'Ik ruik ook koffie, als je dat liever hebt.' Maar de man bedankt.

'Mijn maat staat al klaar. Zware klus vandaag, we moeten naar het noorden, maar gelukkig zit het weer mee. We zijn vroeg genoeg om de files voor te zijn.'

Moeder en dochter kijken de werknemer na en zien door het brede keukenraam hoe hij zich in de cabine van de grote verhuiswagen hijst. 'Ik heb het groot rijbewijs, mam. Ik kan ginds in mijn eentje best een verhuisbedrijfje oprichten,' denkt Manou hardop. Riekje schrikt van die woorden. 'Zeg toch niet zulke dwaasheden! Ga eindelijk het leven leiden van een jonge vrouw. Je bent geen kerel!'

Terwijl Manou de ontbijtboel wegruimt en de vaatwasser inruimt en aanzet, glimlacht ze om een herinnering. Pa, die haar aan mensen voorstelde als: 'Mijn dochter die eigenlijk een jongen had moeten zijn.' Het was als compliment bedoeld, weet ze. En nooit kwetsend, afwijzend.

De Veluwe, ze is er weleens doorgekomen. Als kind reed ze soms mee met de verhuizers. En later, op weg naar het buitenland als het vakantie was. Maar gestopt zijn ze er nooit. Het was altijd mam die zei: 'Nee Ruud, rijd alsjeblieft door. Het stoppen houdt zo onnodig op, vind je niet? En stel je voor dat ik een bekende zou zien.'

En pa, die deed wat zijn vrouw voorstelde.

Terwijl Riekje zich klaarmaakt voor de reis, zich fijntjes opmaakt, sjouwt Manou de laatste koffers en dozen naar de auto. Ze kunnen er zelf nog maar net bij! Daarna haalt ze de vaatwasser leeg. Zo, alles schoon in de kast.

Vooral de huiskamer maakt een vreemde indruk. Er staan nog meubels. Dat is het niet. Maar de persoonlijke noot is weg. Alsof er iets dood is. Manou huivert bij die gedachte.

Ze pakt de autosleutels van het haltafeltje en loopt naar de auto. Wachten op Riekje, die voor de zekerheid nog eens door alle kamers loopt.

Manou wuift naar werknemers die passeren, op weg naar de loodsen waar de verhuiswagens staan. Het duurt nog even voor haar moeder naar buiten komt. Een slanke vrouw met blond haar waarin grijze plukjes zichtbaar zijn. Sportief gekleed, een kort zwart jekkertje boven een donkere broek.

Manou veegt langs haar ogen. Vreemd, ze merkte niet eens dat ze huilde.

Riekje schuift in de auto. 'We gaan eerst pa gedag zeggen. Start de wagen maar, Manou!'

2

DE RIT BELOOFT VEEL LANGER DAN ANDERHALF UUR TE WORDEN. DE op- en afritten zijn verstopt, ze moeten zich langs twee aanrijdingen wringen en uiteindelijk wordt het verkeer omgeleid.

'Zou dat elke dag zo gaan?' vraagt Riekje zich af. Manou kijkt even opzij, bijna medelijdend. 'Mam, heb je dan nooit naar de jongens geluisterd? Gehoord hoe ze klaagden over de overvolle wegen? Jij rijdt alleen op de rustige uren als iedereen al op zijn werk zit.'

Riekje knikt. Ze kan dit moeilijk tegenspreken. Zuchtend schenkt ze nog eens een kopje koffie voor hen beiden in. Ze wijst op het navigatiesysteem. 'Dat hebben wíj vandaag niet nodig. Ik kan de weg blindelings vinden.'

Manou bromt een antwoord.

'Weet je wat ik altijd zo fijn vond, Manou? De omgang met...'

Manou maakt de zin af. 'De omgang met de buren en de mensen in je straatje.'

Alsof de stop van een fles vliegt. Riekje begint te ratelen. Ze somt feiten op die Manou al zo vaak heeft gehoord. 'Wachten tot mijn vader thuiskwam. Dan riep hij: ...'

'Waar is mijn kleine Riekje?' roept Manou.

'Ja ja. Waar is mijn kleine Riekje. Nu kan ik eindelijk hun graf bezoeken. Dat van mijn ouders, bedoel ik.'

Ze is geen moment meer stil. Herinneringen, allemaal met een gouden randje.

'En dan was er een familie... Die werden naar de ogen gezien. Heb ik je dat weleens verteld?'

'De familie Herwaarden,' zegt Manou automatisch.

'Ze waren er ineens, zei mijn vader. Hij had het van horen zeggen. Ze kwamen uit...'

'De buurt van Volendam,' vult de dochter aan. Riekje peinst hardop verder. 'Ze waren arm. Maar erg vlijtig. Mensen met donkere haren en bruine ogen. Ze zeiden: nakomelingen van de Spanjaarden die daar ooit de baas waren. Enfin, een van de mannen uit die familie begon een boerderij. Bracht hem tot bloei, en hij en zijn vrouw kregen een huis vol kinderen die allemaal even slim waren. Toen ik jong was, hadden de toen volwassen kinderen allemaal supergoede banen. En weet je wat zo raar was? Ze hielden de gelederen gesloten. Enkelingen werden in hun kring toegelaten. Je kon doen wat je wilde: vriendschap met een van de Herwaardens kreeg je niet zonder meer. Maar áls je een van de uitverkorenen was, dan hoorde je er echt bij.'

Manou laat wat haar moeder vertelt als een kabbelend beekje voorbijgaan. Opeens is ze bang dat Riekje teleurgesteld zal worden. In de mensen die haar niet meer kennen en die ze een kwart mensenleven heeft genegeerd. De veranderde omgeving. Waren ze maar een keer gaan kijken om een indruk van het moderne Hoogwouden te krijgen.

'Hier moet je de weg af!' schrikt Riekje. 'Wat is dat veranderd, zeg! Jij had het dus al gezien.'

'Ja mam.'

'Allemaal andere op- en afritten. Hier ergens kon je vroeger het bos in. Op de fiets, bedoel ik. Dan kwam je bij de wasserij uit. Heuvel op en heuvel af.'

Hoewel ze nog lang niet op de plaats van bestemming zijn, zit Riekje met de sleutel van het te huren huis in haar handen.

'O, nu zie ik het. Je komt uit op de weg die vroeger de grote weg werd genoemd. Het is of hij smaller is geworden. En dan de bomen... Ik herinner me een omzoming van laag geboomte, eiken, berken en hier en daar een beuk. Moet je nu eens zien! Het lijkt wel een tunnel.'

Manou grinnikt.

Maar wat als het wonen in Hoogwouden moeder tegenvalt? Een terug is er voorlopig niet.

Manou remt af als ze een bord met vijftig kilometer ziet staan. Ze naderen de bebouwde kom. Riekje schiet rechtop.

'Dat kerkje is nog hetzelfde. En zie je die akkers? Daar stond in de zomer wuivend graan op. Een waar kalenderplaatje, Manou!'

Manou brengt haar moeder terug bij de werkelijkheid en zegt: 'Nu heeft er zo te zien mais gestaan, mam. Kijk maar naar de stoppels...'

Riekje laat zich niet ontmoedigen.

'Hier is het niet veel anders dan vroeger. Rijd eens wat langzamer, Manou!' Manou blijft achter een bus kleven, inhalen lukt hier toch niet. 'Wat is er veranderd? Ik zie het al. De lantaarnpalen zijn vernieuwd. En de fietspaden ook. Volgens mij hebben ze een stuk van alle tuintjes gehaald. O... nu zijn we er echt bijna! Ik ben zo opgewonden!'

En voor de zoveelste keer vraagt Manou zich af waarom haar moeder niet veel eerder een reisje naar het verleden heeft gemaakt. Het kan niet aan pa gelegen hebben, dat weet ze zeker. Riekje hoefde maar te kikken of pa stond voor haar klaar. Dagje strand? Goed, Riekje. De markt in Alkmaar? Waarom niet, Riekje. Reisje naar Oostenrijk? Geweldig plan, Riekje...

Maar nooit was het: laten we naar Hoogwouden gaan.

De bus stopt op een inham en Manou kan het voertuig eindelijk passeren. Als ze weer een bord met vijftig kilometer passeren en Manou vaart mindert, gaat Riekje rechtop zitten. Als een kind op een schoolreisje bij het naderen van de bestemming.

Ze valt stil, wijst naar een huis zonder wat te zeggen. Waar vroeger een kruispunt was, is nu een rotonde. 'Tsss!' zucht Riekje.

De buitenwijk van Hoogwouden oogt ruim. De brede doorgaande weg is door groenstroken van de fietspaden gescheiden.

'We naderen de kern van de plaats, mam. Hoe nu verder?'

Riekje komt ogen tekort, hoort niet dat haar dochter wat vraagt. Manou besluit tot de dorpskern door te rijden en daar een plekje te zoeken waar gestopt kan worden.

Af en toe slaakt Riekje een kreet, wijst naar een huis en schudt haar hoofd. 'Daar stond een huis met een dak van riet, het was zo romantisch. Moet je nu zien...'

'Ach, mama toch!' zegt Manou medelijdend.

Ze vreest dat de onderneming een en al teleurstelling zal zijn.

Dan ziet ze een parkeerplaats, dicht bij een winkelcentrum.

'Maar hier stond een schóól!' barst Riekje uit. 'Moet je nu zien! Winkels, een bank! Een Chinees en een café!'

Manou begrijpt dat dit alles een schok voor haar moeder moet zijn. Ze legt een hand op die van haar moeder, waarin de sleutel ligt vastgeklemd. 'Zullen we eerst een kopje koffie nemen? Ik heb krentenbollen in mijn tas. Mam! Word eens wakker!'

Riekje komt met een plof terug in de tijd.

Ze legt de sleutel op het dashboard en accepteert dankbaar de koffie. Ook het broodje is welkom.

'Ik zei je toch, mam, dat er geen vijfentwintig jaar voorbij kan gaan zonder dat er iets verandert. Drink je koffie op, dan rijden we naar de plaats van bestemming en zien er het beste van te maken.'

Manou realiseert zich dat ze hun schepen achter zich verbrand hebben. Daar komt het op neer.

Riekje staart naar de passerende mensen. Op zoek naar oude bekenden...

'Mam, je schoolvriendinnen zijn ook geen twintig meer. Ze zijn misschien grijs of hebben geverfd haar. Ze kunnen ook dood zijn, net als pa.'

Riekje keert zich naar Manou en kijkt haar aan. 'Wat denk jij eigenlijk, dat ik mijn verstand verloren heb of zoiets? Kom, drink je beker leeg en draai de auto. We moeten terug, het spoor over. Dat ligt er tenminste nog. En dan... de eerste weg links. Als er niet is bijgebouwd, moet het 't derde huis zijn...'

Manou gehoorzaamt. Even later bevinden ze zich in een alleraardigste straat, wat betreft de bebouwing. Riekje slaakt een kreetje. 'Ik had gelijk, zie je wel dat ik gelijk had!' kraait ze, alsof Manou haar tegengesproken zou hebben.

'Welke woning is het, mam?'

Huizen gebouwd in de jaren zeventig, zo te zien. Maar met de stijl van vóór de Tweede Wereldoorlog. 'Zouden er nog dezelfde mensen wonen?' verzucht Riekje. Ze houdt de sleutel die ze toegestuurd kreeg, omhoog. 'Het is nummer zes. Kloosterdwarsstraat nummer zes.' Ze maakt de gordel los en legt een hand op de deurkruk. 'Wat treuzel jij nou nog?'

Manou volgt haar voorbeeld. Ze zet de motor af en bevrijdt zich van de gordel.

'Ik vroeg me alleen af waar dat 'klooster' vandaan komt.'

Voor ze uitstapt zegt Riekje: 'Ooit moet hier ergens in de wijde omtrek een klooster hebben gestaan. Meer weet ik er niet van. Stap nou uit, jij!'

Even later staan ze daar, turend naar de huizen. Nummer zes onderscheidt zich in niets van de buurwoningen. Ze staan vrij, hebben een kleine voortuin die ommuurd is, met als onderbreking grappig aandoende hekjes voor het betegelde tuinpaadje. Tegen de muur van nummer zes groeit een vuurdoorn, die getooid is met honderden oranjerode bessen.

Op dat moment wordt de deur van nummer vier geopend en een nog jonge vrouw stapt naar buiten. Ze blijft staan, bestudeert de twee vrouwen op het trottoir en trekt haar conclusies. 'Jullie zijn vast en zeker de huurders van mijn buurhuis. Ik ben Ietje de Greef en zolang het huis onbewoond was, heb ik er een oogje op gehouden. Welkom!'

Ze loopt met uitgestoken hand naar het hekje toe, dat Riekje inmiddels open heeft geduwd. Deze stelt zich voor als Riekje Altena. Merkwaardig, vindt Manou. Ze weet niet anders of haar moeder noemt zich mevrouw.

Ietje is van Manous leeftijd. Tenger en lichtblond van haar, dat onverzorgd om haar hoofd sliert. Ze drukt moeder en dochter de hand en zegt twee keer: 'Welkom!'

Als ze ziet dat Riekje een sleutel heeft, stopt ze haar exemplaar in de zak van haar rok. 'Ik wilde net de planten verzorgen. Buurvrouw Goossen is o zo trots op haar planten. Ze liet ze met pijn in het hart achter. Ik zei nog: neem ze dan mee! Maar dat was natuurlijk geen optie. Enfin, ik loop even mee naar binnen om te wijzen wat nodig is om te weten.'

Riekje steekt met een bijna plechtig gebaar de sleutel in het slot. Ze stapt als eerste naar binnen en snuift de geur van het huis op. Alsof er iets heel bijzonders te ruiken valt.

Ietje zegt haast te hebben, haar baby kan ieder moment wakker worden.

Ze zegt heel vlot Riekjes naam en het is meteen 'jij' en 'jou'.

'Weet je, Riekje, hoe de wasmachine werkt? Heel simpel... En de thermostaat van de verwarming zit – ik wijs het wel even – in de kamer. De vouwgordijnen gaan een beetje lastig omhoog en omlaag, gewoon oefenen. O ja, buurvrouw Goossen wil graag dat eventuele post in de gangkast in een tasje wordt gedaan. Het meeste wordt doorgestuurd, maar er kan iets doorheen glippen. Tja, is er nog iets dat je wilt weten? Mocht er wat zijn, gewoon even bij mij aanwippen. Achterom lopen, hoor, dat zijn we hier in de buurt gewend.'

Riekje kijkt om zich heen, vergeet deze Ietje uit te horen of ze ook 'van hier' is. Voor ze het beseft is Ietje vertrokken.

'Nou, dat valt niet tegen,' zegt Riekje en ze loopt keurend door de woning, die minder ruim is dan ze gewend zijn. 'Netjes ingericht. Niet mijn stijl, maar dat doet er niet toe. Ik koos altijd... nou ja, je vader en ik kozen altijd voor donker notenhout, zoals je weet. Hier staat alles door elkaar. Rieten stoelen, eiken en weet ik wat nog meer. Sommige mensen hebben echt geen oog voor de juiste combinaties. Zullen we boven kijken?'

Manou loopt achter Riekje aan de trap op. Een vreemde trap is altijd wennen, vindt ze. De muren van de slaapkamers zijn schuin en de badkamer, hoewel zo te zien vernieuwd, is niet groot. Riekje neemt de kamer vóór, vanwege het aangebouwde balkon. Manou is tevreden met een kleiner vertrek dat uitziet op achtertuintjes. Waar ze ook kijkt, overal daken van huizen en tuinen. De groene bebossing die ze op de kaart zag, blijkt in werkelijkheid verder weg te liggen. Ze mist nu al de ruimte van de polder.

Riekje beent door het huis, als een generaal die iedere meter van het veroverde terrein onder de voeten wil voelen.

Als ze lang voor de deur van het balkon blijft staan staren, loopt Manou op haar toe en legt een arm om haar schouders. 'Zo, is mama tevreden met haar optrekje op de Veluwe?' zegt ze plagend. Riekje draait zich met een schok om. Alsof ze schrikt. 'Kind, ik was even terug in het verleden. Zie je daar die vrouw op de fiets? Die ken ik. Daar heb ik bij in de klas gezeten, maar ik kan toch niet op de naam komen! Enfin, ik heb een fotoalbum van vroeger in de koffer zitten. Schoolfoto's en dat soort dingen.'

Nooit gezien, realiseert Manou zich.

'Kijk mam, een trein. Ik meende al een soort toeter te horen. Leuk, het is een ouderwets geval, zeker voor de toeristen. Ik denk dat het hier herfstvakantie is.'

Riekje opent de balkondeuren en hangt gevaarlijk ver over de leuning om zo ver mogelijk te kunnen zien. 'Leuk! Dat waren ze, toen ik hier nog woonde, al van plan. Om die spoorlijn nieuw leven in te blazen.'

Manou voelt haar maag knorren. 'Wat doen we, mam, eten we hier of zoeken we een restaurantje?'

Riekje vindt een broodje met soep voldoende en wil het zoeken van restaurantjes nog even uitstellen. 'Dat is namelijk té leuk om plichtmatig te doen.'

Van huis hebben ze brood meegenomen, en alle restjes uit de koelkast. Riekje worstelt met het haar onbekende koffiezetapparaat terwijl Manou een potje bouillon opent en water aan de kook brengt. 'Wat wil je mam, tomatensoep of Indiase kerrie?'

Ze schiet haar moeder te hulp en even later wordt het water door de gemalen koffie geperst.

'Tomaten. Ik heb trek! Ga jij op zoek naar een tafelkleed?'

Een kleed vindt Manou niet, maar wel placemats. Riekje trekt haar neus op. 'De mensen zijn tegenwoordig te lui om een tafelkleedje te

wassen en te strijken. Nou, morgen koop ik een paar gezellige kleden!'
Na de lunch haalt Manou de auto leeg. Het is fris buiten en huive-
rend slaat ze een sjaal om haar hals. Ietje de Greef komt langsgerend.
'Vlug een boodschap doen terwijl Tommetje slaapt!'
Manou kijkt haar na. Ietje, die haar naam uitspreekt als 'Ietsje'. Het
doet Manou Fries aan, ook de manier waarop ze de klemtonen legt.
Als ze de laatste plastic zak in de kleine hal heeft gedeponeerd, denkt
ze mistroostig: 'Wat nu?'
Haar moeder pakt de koffers uit en hangt de kleding zorgvuldig in
de voor hen leeggemaakte kasten. Manou volgt haar voorbeeld.
Ondertussen voeren ze luid sprekend een gesprek. Riekje roept dat
ze denkt dat het marktdag is.
'Ik zie mensen fietsen die tassen hebben waar de preien uitsteken. En
ze komen allemaal uit dezelfde richting. Leuk, Manou, een markt op
loopafstand.'
Zodra de koffers leeg zijn, schuift Manou ze in de niet-gebruikte
slaapkamer onder een bed.
'Pauze, mam!' roept ze terwijl ze de trap afloopt. Zodra ze beneden
is, hoort ze de brievenbus klepperen en een tel later ploft er een
krant op de kokosmat. Als ze ziet dat het een regionale krant is,
bedankt ze in gedachten de eigenaars van het huis, die het nieuws-
blad niet afgezegd hebben. Met de krant gaat ze in de kamer zitten,
waar het al begint te schemeren. Riekje komt binnen en loopt
meteen naar de thermostaat. 'Om te rillen is het, lieverd. Zal ik kof-
fiezetten...' Dan valt haar oog op de krant. 'Of doe jij dat maar. Dan
kijk ik even in de krant, als je het goedvindt. Ik ben zo benieuwd
naar advertenties, van winkels en zo. Ik weet nog dat mijn vader zei
dat, wanneer je de overlijdensberichten gaat lezen, je zelf op leeftijd
begint te komen.'
Manou geeft geen antwoord. Haar moeder gaat de laatste dagen zo
in zichzelf en haar gedachten op, dat ze nauwelijks merkt of Manou
op haar woorden reageert.
'Zie je wel. Overleden Cornelis Hendrik van Staveren. Heb ik bij in

de klas gezeten. Nou, die is niet oud geworden.'

Manou luistert niet meer en wijdt zich aan het koffiezetritueel. Straks moet er warm gegeten worden. Tja, dat betekent dat er boodschappen gedaan moeten worden...

Voor het eerst horen de ze bel overgaan. 'Ik kijk wel!' roept Manou naar de kamer.

Een mollige vrouw van haar moeders leeftijd staat op het stoepje met een schaal in haar handen. 'Het is een beetje lastig voorstellen zo, maar ik ben mevrouw Samuëls van hiernaast. Nummer acht. Ik zag jullie komen en dacht: ik maak wat extra warm eten, want als je aan het verhuizen bent heb je doorgaans niet veel tijd om te koken. Heb ik het goed?'

Manou is aangenaam verrast. 'Ik ben Manou. Manou Altena. Komt u even binnen?'

Mevrouw Samuëls schudt haar hoofd. 'Graag een volgende keer. Ik heb eten op het gas staan, vandaar.' Ze duwt Manou een warme schaal in beide handen en knikt haar vriendelijk toe.

'Doe de groeten aan je moeder en we spreken elkaar gauw.'

Ze dribbelt snel op haar pantoffeltjes naar het tuinhekje. Manou roept haar nog een bedankje na.

Riekje is nieuwsgierig geworden. 'Wat heb je daar en wie was dat en waarom heb je me niet even geroepen?'

Ze kijkt verlangend naar de voordeur, die Manou met haar voet in het slot heeft gegooid.

'De buurvrouw van de andere kant. Warm eten. Lief hè? Ik wist niet dat zulke dingen nog gebeuren in ons landje.'

Riekje tilt het deksel van de schaal en buigt zich om te ruiken. 'Andijviestamppot. Kán lekker zijn. Hadden we nu maar een gezellig kleedje.'

Manou legt de fleurige placemats op tafel en vindt dat die net zo gezellig staan. 'Hoe heette ze, Manou? Misschien...'

'Ken ik haar,' vult Manou aan terwijl ze bestek klaarlegt.

'Ik weet het niet meer, mam. Ze zei haar naam wel, maar ik was zo

beduusd dat ik die niet heb onthouden. Kom op, dan vallen we aan.'
De eerste avond in het nieuwe huis verloopt, zoals verwacht, rustig.
Riekje bepaalt wat er op de tv komt, wat Manou naar huis doet
verlangen. Naar haar eigen royale kamer met tv.
Stilletjes bestudeert ze haar moeder. Mam, die zo ánders is dan voorheen. Dan voor het overlijden van pa. Net of ze een juk heeft afgeworpen en openstaat voor nieuwe dingen. Nou ja, beter gezegd: het
opsnorren van oude kwesties en mensen. Wat is haar *drive*? vraagt
Manou zich af. Ze kent haar moeder niet anders dan de rust zelve.
Ze is nu gespannen. Onnodig gespannen.
Ze zapt van het ene kanaal naar het andere en als ze TV Gelderland
ontdekt, is ze verrukt. Ze zit op het puntje van haar stoel te jubelen.
'Kijk nou toch, er is brand geweest bij de wasserij. Schandalig, brandstichting! Tjonge, misschien kén ik wel een van de brandweermannen.'
Manou zucht. 'Straks kom je nog aanzetten met je oude liefdes,
mam. Je exen. Al je geheimen komen aan het licht.'
Hele even is Riekje beduusd. 'Wie bedoel je? Wát bedoel je te zeggen? Dat ik een afgelikte boterham was toen je vader me vroeg met
hem te trouwen?'
Na de brand komen er beelden van wilde zwijnen. Er zijn er te veel.
Afschieten of niet? 'Ik weet nog...'
Manou is moe en luistert niet. 'Mam, ik ga slapen. Even de douche
uitproberen. Moet ik afsluiten? Doe jij het dan wel? De keukendeur
is nog niet op slot...'
Manou kust haar moeder licht op het voorhoofd. 'Slaap lekker, mam.
En blijf niet te lang op...'
'Ja ja, ga jij maar gauw naar bed. Ik neem zoals altijd nog een glaasje wijn.'
Manou sjokt de trap op. Ze is moe alsof ze als verhuizer heeft
gewerkt. Nou ja, ze zijn dan wel verhuisd, maar een échte verhuizing
kun je dit niet noemen. De stralen van de douche verkwikken en als
Manou in haar pyjama voor het raam staat, probeert ze dat wat ze

ziet zich eigen te maken. Lantaarns, vreemde huizen, onbekende mensen. Niets is vertrouwd. Waarom heeft ze ingestemd met haar moeders dwaze plan om hier te gaan wonen? Maar ze kan in de huidige situatie mam niet alleen laten, vindt ze. Tussen de huizen door kan ze een glimp van de druk bereden Dorpsstraat zien. Een bus stopt en trekt al snel weer op.

Ze sluit de gordijnen, die van vrolijk bedrukte stof zijn gemaakt. De binnenkant is gevoerd, zodat zonlicht je niet voortijdig kan wekken. Hoewel er in dit jaargetijde niet veel zon is en zeker niet vroeg in de ochtend.

Manou knipt het licht aan en bedenkt dat ze morgenochtend na het ontbijt meteen de computer aansluit. De kamer is nog niet echt háár vertrek. Het is onpersoonlijk. Net een vertrek in een hotel. Ze bekijkt de boeken die op een plank aan de muur staan. De titels zeggen haar niet veel. Engelse literatuur en technische uitgaven, fotografie. Mannenboeken, is haar conclusie. En daar, een vergeten fotoalbum. Ze bladert, glimlacht om de foto's van een ondeugend jochie dat midden tussen de bloemen staat, met een tegenstribbelende kat in zijn armen. Op een van de laatste foto's is het jochie volwassen. De laatste pagina's zijn leeg. Ze legt het album terug. Misschien, zo fantaseert ze, is het jochie niet meer in leven. Ooit hoorde ze op de radio een oude smartlap gezongen worden over een overleden kind. De laatste bladzijden van het album waren leeg...

Ze knipt het grote licht uit en het bedlampje aan.

Het bed voelt onvriendelijk en koud aan. Maar al snel wordt Manou warm, de benen opgetrokken. Zo valt ze in slaap.

Het einde van een lange en vermoeiende dag!

De volgende ochtend weet Manou even niet waar ze is. Ze doet haar ogen wijd open, kijkt naar het gesloten gordijn waar een reepje licht tussendoor kiert. Uitrekken, geeuwen. Een nieuwe dag.

Ze hoort haar moeder in de badkamer rommelen. Mam, zo bedenkt ze, is als een kind aan wie van alles is beloofd.

Bedroefd denkt ze aan haar vader, rekent uit hoeveel dagen hij al niet meer bij hen is. Hij moest hen eens kunnen zien. Maar nee, ze gaat ervan uit dat pa het nu beter heeft.

Als ze naar beneden loopt, is de tafel in de kamer al gedekt. Placemats waarop bordjes en bestek staan, een bijpassende kop-en-schotel ernaast. Op andere matjes staan de jampot en de pindakaas, op een andere een schaaltje met kaas.

'Gezellig, mam! Wat ben je vroeg. Heel wat anders dan thuis.'

Riekje schuift aan tafel en schenkt thee in de kopjes. 'Wat had ik thuis? Alle dagen hetzelfde. Jij en pa kwamen 's avonds soms pas tegen zeven uur binnen. En dat jaar in, jaar uit!'

Manou weet van verbazing even geen antwoord te geven. Ze vouwt haar handen en bidt in stilte, net als Riekje.

'Smakelijk eten dan maar. Brood van eergisteren, als ik het goed heb.'

Riekje somt op wat ze allemaal moet inslaan. 'Ik hoop dat er fietsen zijn, Manou. Anders laten we die van onszelf brengen door een van de jongens.'

Alsof ze nog wat te zeggen hebben over de jongens die bij het verhuisbedrijf werken.

De huishoudelijke taken worden als vanzelf gedaan. Riekje maakt een boodschappenlijstje, Manou ruimt de tafel af.

In de keuken staat de afgewassen schaal van de buurvrouw te wachten.

Manou doet de achterdeur van het slot en loopt de tuin in. Er is een leuk terras, de stoelen zijn ongetwijfeld al opgeruimd voor de winter. Geen garage, maar wel een schuur. Ze gluurt door de raampjes en ja, er staan fietsen. Minstens vier.

De tuin is omzoomd door een border waar, behalve een paar asters, niets moois meer te zien is. Daarachter groeien flinke struiken, die een doorkijk naar de buurtuinen moeilijk maken. Ach, ze zal wel wennen. Per slot van rekening is het tijdelijk.

Moeder en dochter besluiten met de auto boodschappen te gaan doen.

'Eerst de schaal terugbrengen?' stelt Manou voor. Maar nee, dat terugbrengen is al een feestje op zich, zo ziet Riekje het.

'Want het is een spontane aanleiding om contact te leggen. Niet iets wat je in drie minuten doet.'

Best mama.

Op naar het centrum. 'Rijd jij maar, Manou, dan kan ik lekker om me heen kijken.' Riekje vertelt dat ze twee keer het Gelders Nieuws heeft bekeken. 'Elk heel uur. Zo vertrouwd allemaal...'

'Waarom ben je hier toch niet eerder heen gegaan,' zucht Manou voor de zoveelste keer.

'Vroeger, héél vroeger, stond hier een school. Weet je hoe die leerlingen er toen uitzagen?'

'Ot en Sien,' zegt Manou en ze parkeert de wagen keurig tussen twee andere auto's. Ze herkent haar rustige mama niet meer. Riekje ratelt maar door. Over schoolpleinen, grote kastanjebomen en ruzies tussen de kinderen van de openbare school en de school met de Bijbel. Ondertussen staan ze bij de ingang van de supermarkt. Manou duwt het wagentje, terwijl Riekje als een geheim agent de winkelende mensen bestudeert. Wanneer zal ze voor het eerst een oude bekende ontmoeten en, nog belangrijker: wíe zal dat zijn?

Boter en melk. Brood en beleg. Groeten, fruit en niet te vergeten aardappels. Opeens blijft Riekje staan en botst bijna tegen een oudere heer op. Ze trekt haar dochter aan een arm. 'Zie je die vrouw daar, die met dat verkleurde jack. Dat gezicht, die brandwonden! Dat is Annie van Duin. Ging ik niet mee om, hoor. Haar broertje heeft een hooischuur aangestoken en dat wil wel vlammen. Annie gilde dat er nog een poesje in de schuur zat en rende zo haar ongeluk tegemoet. Iedereen in het dorp had het erover...'

Manou werpt steels een blik op de verminkte vrouw. Arme Annie, denkt ze. Zou ze het poesje gered hebben?

Haar moeder heeft duidelijk geen behoefte om Annie aan te spreken, maar volgt haar wel met de ogen. Ze zijn gelijk bij de kassa en lopen achter Annie aan naar buiten.

Tot Riekjes verbazing kuiert de arme Annie naar een spiksplinternieuwe Ford, laadt de boodschappen in en brengt het winkelwagentje terug. Even later rijdt ze bijna geruisloos weg.

Riekjes mond valt open. 'Nou zeg!' roept ze.

Manou lacht haar uit. 'De dingen én de mensen én hun omstandigheden veranderen, lieve mam.'

'Zo is het maar net,' beaamt haar moeder, tegen haar gevoel in.

Na de supermarkt gaan ze op zoek naar een textielwinkel en die is snel gevonden. Hij heeft nog dezelfde naam als jaren terug en de bedrijfsleider is een nazaat van de man die Riekje zich herinnert. Manou kuiert door de winkel, op zoek naar tafelkleden, terwijl haar moeder druk aan de praat is met de chef.

Manou troost zich met de gedachte dat, als mam hier eenmaal gewend is, ze het vertrouwde ritme van voorheen terug zullen vinden. Dankzij de komst van een vertegenwoordiger wordt het gesprek beëindigd en het is een opgewekte Riekje die zich wijdt aan de aanschaf van tafelkleden.

En hoewel moeder en dochter slechts kort van huis zijn geweest en maar een paar mensen hebben gesproken, heeft Riekje voldoende stof opgedaan om uren te praten.

3

Het terugbrengen van de schaal, waarin een heerlijke maaltijd heeft gezeten, is als een tegoedbon voor een bezoek aan het buurhuis op nummer acht.

Terwijl Manou zich aan hun eenvoudige huishouden wijdt en zonder onderbreking naar huis terugverlangt, stapt Riekje resoluut naar buurvrouw Samuëls.

'Daar doe je goed aan, kind!' hoort Manou, die het raam aan de voorkant lapt, roepen. Nou, mam is voorlopig onder de pannen en wie weet met wat voor 'nieuws' ze straks thuiskomt.

Veel valt er in het huis niet te poetsen, wat Manou doet besluiten een van de fietsen uit het schuurtje uit te proberen.

Er staan twee elektrische fietsen, die met een stevig slot aan elkaar verankerd zijn. Duidelijke boodschap! Maar er zijn nog meer vervoermiddelen. Twee damesfietsen en een herenfiets waarvan de banden zo te zien zijn leeggelopen.

Een van de damesfietsen ziet er vrij nieuw uit en Manou besluit zich dit voertuig toe te eigenen. Zelfs de banden zijn nog hard genoeg.

Het is een zonnige herfstdag. Het blad van de bomen verkleurt prachtig, wat Manou doet denken: misschien doe ik ooit een schildercursus. Tijd genoeg!

Ze rijdt de straat uit, het spoor over en rijdt in kalm tempo door het dorp, terwijl ze de omgeving goed in zich opneemt. Ze remt af bij een zo te zien grote boekwinkel, bedenkt zich en rijdt weer door. Ze kent zichzelf veel te goed: als ze eenmaal tussen de boeken gaat neuzen, is de ochtend zó om! Ze ziet de naam op de ruit: Herwaarden. Wacht eens, die naam noemde haar moeder toen ze nog thuis waren te pas en te onpas.

Even later ontdekt ze dat niet alleen de boekwinkel eigendom van Herwaarden is, maar ook een groot garagebedrijf draagt die naam, evenals een warenhuis. En nog weer een eindje verder ziet ze een rij verwijzingsborden boven elkaar waarop de naam Herwaarden twee keer staat vermeld. Kartonnage Herwaarden en bungalowpark Herwaarden. Het doet haar denken aan een Amerikaanse soapserie waar haar moeder vroeger graag naar keek: bijna al het onroerend goed was in handen van een en dezelfde man. Nou ja, zo erg zal het hier wel niet zijn!

Vlak bij huis gekomen ontdekt ze weer een paal waaraan borden verwijzen naar politiebureau, VVV-kantoor, scholencentrum en: tuincentrum Herwaarden.

Thuisgekomen merkt ze dat haar moeder nog afwezig is. Met haar gedachten bij de Herwaardens en hun succes maakt ze de tafel voor de lunch klaar. Ze heeft de placemats al op tafel als ze zich mama's tafelkleden herinnert.

Hoe is het mogelijk, peinst ze, dat haar moeder zo kort na de dood van pa alweer belangstelling heeft voor dit soort onbenulligheden. Misschien zit het anders in elkaar en klemt ze zich vast aan nieuwe dingen, die afleiding geven. Met een zwaai mikt ze een vrolijk gebloemd kleed over tafel.

Omdat Riekje nogal uitblijft, neemt Manou de tijd om soep te maken. Als de soep staat te pruttelen, hoort ze haar moeders hakken over het terras klikklakken.

'Dag meid, daar ben ik dan!' Riekjes wangen zijn rozig. Opwinding? Of misschien een glaasje wijn?

'Lekker, soep en omelet. Daar heb ik zin in.' Als ze de gedekte tafel ziet, klapt ze blij als een kind in de handen.

'Wat een beeldig kleed, niet? Kom gauw zitten, dan vertel ik je alles!' Manou houdt haar hart vast. Dat alles is vast veel.

Even stilte als moeder en dochter de handen vouwen voor een gebed. Het huilt in Manous hart: 'Papa, waarom ben jij er niet om het tafelgebed met je warme stem uit te spreken.'

Riekje schurkt zich behaaglijk in haar stoel en trekt een stukje toast naar zich toe.

'Dat arme mens, ik bedoel Bettie van hiernaast, is geen weduwe, zoals ik vermoedde. Nee, haar man dementeert en zit in een tehuis. Hij herkent haar niet eens meer. Nou, dan kun je maar beter je man aan de Here God afstaan!'

Manou opent haar mond om wat te zeggen, bedenkt zich en neemt een hap soep. Afstaan... Alsof je als mens de keus hebt.

Riekje ratelt door. Het is of ze een injectie met vreugde heeft gekregen.

Ze blijkt alles – nou ja, véél – uit de nieuwe buurt te weten. Want Bettie woont hier al jaren. 'En de zoon van hier, van de familie Goossen, dat is een niksnut. Altijd van huis. Backpacken enzovoort. Naar Australië toen hij van school kwam, moest zo nodig de wereld verkennen. Zijn blik verruimen. Snotapen, dat soort jongens! Enfin, het schijnt dat hij met zijn ouders gebroken heeft. Dat vermóedt Bettie. En weet je dat het de familie Herwaarden nog steeds goed gaat? Raad jij eens wat ze hier allemaal hebben bereikt.'

Riekje neemt een hapje van haar soep terwijl Manou haar lege kom van zich afschuift. Ze maakt gebruik van de zeer korte pauze. 'Boekwinkel, garage, tuincentrum, fabriek...'

Riekje legt haar lepel neer. 'Raad je dat nou? Maar je hebt wel gelijk. Bovendien heet de makelaar – die hebben we binnenkort nodig – ook Herwaarden. En ze laten hier vlakbij winkels met bovenwoningen bouwen. Ze zijn al aan het afbreken in de straat achter de huizen aan de overkant. Die familie is nog net zo hecht als vroeger. Ze houden elkaar de hand boven het hoofd, het is een clan. En nog steeds kom je niet gemakkelijk hun kring binnen.' Manou is er niet van onder de indruk. Maar ja, al die mensen zijn in mams ogen marionetten die aan háár touwtjes vastzitten.

Het blijkt dat er nog heel wat mensen in het dorp wonen die Riekje gekend heeft. Ja, ze is Bettie dankbaar voor de inlichtingen. 'Zondag gaan we naar de kerk, want daar is na afloop koffiedrinken en ik weet zeker dat ik daar oude bekenden tegen het lijf loop.'

Manou waagt het op te merken dat pa het misschien ook wel leuk had gevonden kennis te maken met mams oude vrienden.

Even verstart Riekje. Dan schudt ze haar hoofd. 'Met je vader erbij konden we andere dingen doen. Europa doorreizen, dat vond hij leuker dan zich in het verleden te storten. Pa was van het hier en nu. Ik mag graag in de herinneringen duiken.' Tja, dat was tot voor kort nog anders...

Manou bedenkt dat ze zich moet voorbereiden op nog meer Betties, nog meer enthousiasme over wat voorbij is. Als ze samen de tafel afruimen, informeert Manou of mam geen spijt heeft ooit het dorp verlaten te hebben.

Heel even staat Riekjes mond stil. 'Spijt?' vraagt ze dan.

Ze kijkt Manou aan en er flonkert een lichtflitsje in haar ogen. 'Jazeker wel. Er waren dagen dat ik wel op handen en voeten terug had willen kruipen. Maar ja, ik had je vader en jij, je kwam al heel snel.'

Later op de dag komt Bettie even aanwippen. Of Riekje zin heeft mee te gaan naar de cursus 3D-kaarten maken?

'Zo met Kerst in het vizier is het echt een aanrader!'

Riekje hoeft zich niet te bedenken. Zo komt het dat Manou de avond alleen doorbrengt. Ze kan een film op tv uitkijken zonder dat haar moeder kritische opmerkingen maakt en een ánder programma wil zien.

Een kleine week later is Riekje vijf avonden van de week bezet. Ze leert mensen kennen, hernieuwt oude vriendschappen en voor het eerst heeft ze een drukbezet leven. Een sociaal leven.

Ze probeert Manou zover te krijgen dat ze haar vergezelt.

Manou zegt niet wat ze denkt: dat ze eerst moet klaarkomen met haar rouw om de geliefde vader, en dat ze zich wil oriënteren op een toekomst die anders wordt dan ze gedacht had. Geen verhuisbedrijf, maar ja, wat anders?

Op Riekjes bingoavond is het slecht weer. De storm raast om het huis, over de straat klepperen een paar weggegooide blikjes en onder de deuren door dringt een gemene tocht. Manou zet de verwarming hoger en kruipt rillend onder een plaid. Ze heeft een klassieke cd opgezet. Met gesloten ogen luistert ze genietend naar een virtuoos vioolspel. Ze gaat erin op, kent iedere nuance.

Dan hoort ze dat de voordeur opengaat en met een gevoel van spijt denkt ze: 'Mam is vroeg terug, zeker benauwd voor het slechte weer. Jammer, nu moet de tv weer aan.'

De kamer is slechts verlicht door één kleine lamp. Nog een paar seconden, dan zullen alle lampen in de kamer aangeknipt worden en de violist verliest het ongetwijfeld van een of andere quiz op tv.

Manou sluit haar ogen, trekt de plaid hoog op.

Dan hoort ze een vreemde stem roepen: 'Wie ben jij in vredesnaam en wat dóe je hier?'

Ze schiet overeind, klemt de plaid stevig in haar handen en trekt hem tot de kin op. Met bange ogen kijkt ze een nogal woest uitziende man aan die de deuropening vult.

'Weg jij. Ik kan... ik ga gillen, hoor! Dan komen de buren wel! Bovendien komt mijn moeder zo thuis...'

Ze klappertandt van angst en schrik. Er wordt een felle lamp aangeknipt, de inbreker schijnt de weg in de kamer te weten. Hij houdt zijn oog op Manou gericht.

Zij, op haar beurt, staart ontzet naar de kletsnat geregende man, die geen droge draad meer aan zijn lijf heeft. Zijn haar lijkt wel zwart en hangt in sliertjes over de kraag van zijn leren jekker. Met trage bewegingen ontdoet hij zich van zijn sjaal en jas, gooit deze op een stoel en stapt gedecideerd naar de cd-speler om de muziek zachter te zetten. 'Vioolconcert in D groot van Mozart!' grijnst hij.

Dan gaat hij vlak voor de ingepakte Manou staan. 'Jij lijkt wel een cadeautje, het gekrulde lintje ontbreekt er nog aan. Nu wil ik wel graag weten wat jij hier doet, in het huis van mijn ouders? Ik kan me niet voorstellen dat ze een eh... hulpje in de huishouding nodig hebben.'

Dan komt er schrik in zijn donkere ogen. 'Of is er iets aan de hand dat ik moet weten?'

Manou worstelt zich wat hoger in haar stoel.

'Zeg me eerst eens wie ú bent!'

Witte tanden in een bruin gezicht. 'Ik hoor hier thuis. Maar jij?'

Het wordt Manou duidelijk met wie ze van doen heeft. De 'niksnut', de flierefluiter.

'Jij bent de zoon van de Goossens. Wel, als dat je ouders zijn, en je wilt ze ontmoeten, dan zul je naar Spanje moeten. Want daar overwinteren ze. En hoe kan het dat een zóón van hen daar niet van op de hoogte is?'

Hij doet een stap achteruit. 'Daar heb jij, indringster, niets mee te maken. Zeg me eerst wat jij hier doet!'

Manou gooit de plaid van zich af en gaat staan. Helaas is de zoon een stuk langer dan zij en moet ze tegen hem opkijken. 'Mijn moeder en ik hebben dit huis voor langere tijd gehuurd en niemand heeft ons gewaarschuwd dat we te maken zouden krijgen met een weggelopen zoon.'

Dan steekt de man een hand uit. 'Foutje. Mijn naam is Fabian Goossen. We spreken elkaar nog. Ik ben doornat en toe aan een warme douche. Hopelijk heb je mijn klerenkast niet gevuld met damesspulletjes?'

Manou zet grote ogen op. 'Ik – wij hebben hier lege kasten aangetroffen. Misschien op zolder? Of in de kamer die wij als opslagruimte gebruiken...'

Ze is eerder boven dan hij. Afschuwelijk! Iemand van de familie thuis, iemand die het recht heeft hier te zijn. Ze haast zich naar de ongebruikte kamer. Weg vrijheid, moppert ze in gedachten.

'Als er iets aan kleding is, moet het in die kast zitten. Die heb ik niet geopend, we hebben genoeg aan de kast in onze eigen kamer.'

Fabian maait haar met een arm opzij en opent de kastdeur terwijl hij met een voet een koffer opzij duwt. Jawel. Hij grijnst van oor tot oor. 'Ik begrijp dat jij je intrek in mijn kamer hebt genomen. Wel, dan neem ik, de verloren zoon, toch genoegen met dit hokje? Zo, nu ga ik onder de douche.'

Manou kijkt hem na en kijkt dan ontredderd om zich heen. Hier wil hij dus zijn intrek nemen. Slapen in het onopgemaakte bed. Jawel, ze zal zo goed zijn en zijn bedje spreiden. Uit een ruime gangkast haalt ze beddengoed en nog voor ze klaar is, staat Fabian achter haar, slechts gehuld in een badhanddoek. Manou wordt rood tot achter haar oren, wat Fabian doet schateren.

'Je mag me alleen laten, meisje. Ik ben je naam vergeten, of heb je die niet eens genoemd?'

Manou stottert haar naam en dwingt zichzelf niet naar de donker behaarde borst te kijken. Onder de handdoek ziet ze twee stevige benen, ook al behaard. Ze mompelt dat ze het bed heeft opgemaakt en dat hij haar föhn wel mag gebruiken.

Ze roffelt de trap af en wenst dat haar moeder snel thuiskomt.

En dat doet Riekje. Vanwege het slechte weer was er deze avond weinig animo. Veel vaste bezoekers lieten het afweten.

Haar paraplu is binnenstebuiten gewaaid en mopperig stapt ze het huis in. 'Mam!' begint Manou opgewonden.

Riekje is druk met zichzelf. Jas ophangen, vlak bij de verwarming zodat deze morgen weer te dragen is. Ze mikt haar tas onder het haltafeltje en net als ze wil beginnen te praten, blijft ze stokstijf staan.

Ze staart naar een enorme, kletsnatte rugzak. 'Wie... Ik hoor wat boven. Wie is er boven, Manou? Jij hebt toch niet een of andere...'

Manou verschiet van kleur. Wat denkt mam wel van haar? 'Jawel, ik heb de avonden die jij niet thuis was goed benut!' schampert ze. Op dat moment daalt Fabian de trap af. Zijn haar is zo goed als droog, het krult aan de uiteinden en zijn wangen zijn geschoren.

Riekjes mond valt open en even kijkt ze verbijsterd van haar dochter naar Fabian.

'Zoiets heb ik zelfs vroeger nooit bij de hand gehad!'

Manou haast zich te vertellen hoe het in elkaar zit. 'Hij daar is de zoon van de Goossens, mam. Je weet wel, buurvrouw nummer acht had het nog over hem.'

Riekje is weer zichzelf. 'De...' zegt ze en denkt: de niksnut.

Hooghartig vervolgt ze: 'Dit is voor ons onaangenaam, meneer. We hebben dit huis gehuurd zonder zoon, begrijpt u? Mijn naam is Altena.' Fabian is ondertussen beneden en glimlacht, wat zijn gezicht onmiddellijk zachter maakt. 'Mevrouw Altena, dit is voor mij ook pijnlijk. Ik was niet op de hoogte van de plannen van mijn ouders. Het spijt me als ik jullie in verlegenheid heb gebracht en morgen zal ik op zoek gaan naar een logeeradres. Maar vannacht zou ik graag hier slapen, gezien het slechte weer. Bovendien is het te laat om een van mijn vrienden te benaderen.'

Hij steekt een hand uit. Riekje aarzelt om die aan te nemen. Het is niet de hand van een kantoormeneer. Eerder die van een werkman. Nu zitten zij opgescheept met de niksnut! Zouden ze er goed aan doen vannacht bij buurvrouw Bettie te gaan slapen?

Fabian ziet de onrust in het gezicht van Riekje. 'Ik stel voor dat we onder het genot van een glaasje wijn – een zin uit het verslag van een dorpsvergadering, haha! – elkaar beter leren kennen. Ik weet waar mijn pappie zijn beste wijn bewaart. Jawel, in de kelderkast. Of hadden jullie dat al ontdekt?'

Riekje ordent haar natte haar en zegt zo hooghartig als ze kan opbrengen: 'Wij kopen onze eigen wijn, meneer!'

Manou loopt naar de kamer en vouwt de plaid op. Ze voelt zich overrompeld.

Waarom hebben de heer en mevrouw Goossen hen niet verteld dat er eventueel een zoon thuis kon komen? Omdat ze het niet verwachtten? Wat een relatie. Manou kan zich niet voorstellen dat er tussen haar en haar ouders ooit zo'n breuk zou kunnen ontstaan. Ze moet zichzelf corrigeren. Want papa is er niet meer om ruzie mee te maken, of wat dan ook.

'Lieve dames, ga alsjeblieft zitten. Dat praat gemakkelijker.' Fabian heeft in een mum van tijd glazen en een fles wijn tevoorschijn getoverd. Hij doet zijn best om de schokkende entree te verzachten. Manou zwijgt, neemt een glas van hem aan en wacht op een reactie van haar moeder.

'Ik moet zeggen dat ik het erg merkwaardig vind dat uw ouders ons niet hebben laten weten dat u onverwacht thuis zou kunnen komen. Was dat het geval, dan hadden we daar zeker rekening mee gehouden en was mijn dochter niet van uw onverwachte binnenkomst geschrokken!'

Fabian haalt zijn schouders op. 'Het spijt me, meer kan ik niet zeggen. Duidelijk een misverstand. Ik denk dat mijn ouders mij nog lang niet terugverwachtten. Ze weten dat als ik in het buitenland ben, ik vaak geen gelegenheid heb om contact te houden. Soms krijg ik een opdracht die mij naar bijna onbewoonde oorden voert. Ik ben van huis uit fotograaf. Was ooit oorlogscorrespondent. Soms een wanhopige bezigheid, dat kan ik u wel vertellen. Leed fotograferen waar je als mens niets te bieden hebt. De foto's moeten de wereld door, dat is het enige dat telt en tja, op een bepaald moment heb ik het stokje doorgegeven. De mensheid wil griezelen en roepen: kijk toch eens hoe erg het is, een stervend kind, een zwaargewonde soldaat, noem maar op. Enfin, nu leef ik van de kunst. Kunstfoto's en ik maak vaak opnamen van opgravingen, wat moet resulteren in een boek. Zo, dat was in het kort mijn leven. Nu jullie!'

Hij heft zijn nog volle glas en kijkt met zijn donkere ogen Manou en Riekje aan.

'Wat een zwaar bestaan!' vindt Riekje. 'Dan kun je nog maar beter een verhuisbedrijf hebben, zoals dat met ons het geval was. Tot mijn man kortgeleden onverwacht kwam te overlijden. Mijn dochter en ik hadden behoefte aan een andere omgeving. Vandaar dat we een tijdje gehuurd wilden leven.'

Fabian knikt, hij schijnt het te begrijpen. En stelt voor dat ze elkaar tutoyeren. En of Riekje het niet erg vindt door een jongere bij de voornaam genoemd te worden?

Geleidelijk aan wordt de afstand tussen Fabian en Riekje kleiner, maar Manou blijft echter in Fabian de onfrisse, donkere vreemdeling zien zoals hij eruitzag toen hij haar overviel.

'En hoe nu verder?' informeert Riekje na haar tweede glas wijn.

'Moeten wij jou nu zien als huurder? Of ben je van plan verder te trekken?'

Fabian geeft te kennen een week of wat het liefst thuis te willen wonen. 'Mochten jullie me liever kwijt zijn, dan kan ik bij een van mijn vrienden onderdak zoeken. Het geval is dat er binnenkort, hier vlak in de buurt, huizen worden afgebroken, en het verhaal gaat dat precies op die plek een klooster heeft gestaan. Ik weet dat van archeologen die geïnteresseerd zijn. Mij is gevraagd een en ander te fotograferen. Vandaar.'

Riekje zegt het boeiend te vinden. Ze ziet in Fabian, begrijpt Manou, een opstapje naar plaatsgenoten.

'Als jullie het niet erg vinden: ik ga naar bed.' Even is niets anders te horen dan het geloei van de wind om het huis.

Manou geeft haar moeder een zoen en Fabian krijgt een zuinig knikje. Een vreemde man over de vloer. Het is wel wennen.

Het is te hopen, denkt Manou, dat er geen resten van een klooster meer te vinden zijn. Dan is Fabian Goossen snel klaar met zijn plannen.

En hebben zij en mam weer rust.

4

MET FABIAN IS ER EEN FLINKE VERANDERING IN HUIS GEKOMEN. HIJ EET met graagte met hen mee en beide vrouwen moeten toegeven dat hij een plezierige gast is. Een gast in eigen huis, wel te verstaan. Maar dankzij hem is er nogal veel aanloop. Vrienden komen langs, willen wel erg graag een pot koffie. Niet dat Fabian het vraagt: Riekje is hem altijd voor en staat al klaar met de koffiebus als ze de bel hoort, bij wijze van spreken. Ze geniet op haar manier van de drukte. Manou is het niet met haar eens. Vrienden en bekenden over de vloer is best, maar andermans relaties, daar heeft ze geen behoefte aan.

Riekje vertrouwt Manou toe dat haar vader graag een zoon had willen hebben. 'Niet in plaats van jou, hoor. Maar erbij. Het heeft niet zo mogen zijn. Maar met jou was hij gelukkig, lieverd!'

De herfst glijdt voorbij. De drukke decembermaand nadert. Iets waarop Riekje zich verheugt, maar Manou brengt het in verwarring. Al die feestdagen zonder papa.

Ze kan het niet opbrengen zich in het dorpsleven te storten, zoals haar moeder. Riekje heeft tegenwoordig een volle agenda.

De enige met wie Manou nog weleens omgaat, is de buurvrouw van nummer vier. Ietje de Greef. Haar man, Job, heeft een baan op het gemeentehuis. Manou is dol op hun baby, de kleine Tommy, die haar al begint te kennen. Riekje steekt haar afkeuring over de vriendschap niet onder stoelen of banken. Want Manou laat zich gebruiken als oppas. 'En wat dan nog?' Riekje vindt dat Manou zich onder de jongeren van het dorp moet begeven. 'Loop niet altijd weg als Fabian vrienden op bezoek heeft!'

Veel belangstelling voor die vrienden heeft Manou niet, maar als ze voorgesteld wordt aan een jongeman die de achternaam Herwaarden draagt, is ze toch even nieuwsgierig. Alleen al omdat haar moeder lijkt te dwepen met die naam en er in het dorp nogal wat Herwaardens wonen.

Ron Herwaarden, zoon van de garagehouder. Donkere ogen en slap, bruin haar dat slecht is geknipt. Hij lacht Manou hartverwarmend toe. Wil precies weten hoe ze in Hoogwouden terecht zijn gekomen. 'Ik bedoel, wat zoékt een mens hier, buiten het seizoen? In de zomer zijn er meer toeristen dan inwoners, denk ik weleens.'

Manou vertelt in een paar zinnen wat de reden is. En hoe ze het dorp vindt? Ron heeft oprecht belangstelling, merkt Manou en dat ontspant haar. Of ze zich niet een slag in de rondte verveelt? 'Of studeer je nog... zou toch kunnen?'

Manou zegt ooit een baan te willen zoeken. 'Misschien heeft jullie uitgebreide familie ook een verhuisbedrijf? Dan mogen ze een beroep op me doen.'

Helaas, die tak van bedrijfsvoering hebben ze niet in hun pakket. 'Maar een baantje hier of daar is best te vinden. Wat zoek je eigenlijk? Administratief? Of iets met mensen?'

Manou haalt hulpeloos haar schouders op. En ze doet een bekentenis: 'Ik wéét het niet. Ik heb altijd met mijn vader gewerkt en daar is abrupt een einde aan gekomen. Geloof me of niet, er is me nooit gevraagd wat ik zou willen. Van meet af aan stond vast dat ik bij pa zou gaan werken. Tja, soms lopen de dingen zo.'

Ron vindt het onvoorstelbaar, maar uit dat niet. 'Tja, familie... Daar kan ik over meepraten. Als je op een familiebijeenkomst van ons bent, geloof je bijna dat we een bijzonder soort zijn. Macht, tegen elkaar opbieden. Je houdt dat niet voor mogelijk. Maar als er iemand van ons in de problemen zit, staan ze allemaal klaar om te helpen!'

Fabian mengt zich in het gesprek, dist gebeurtenissen uit het verleden op.

Maar dan zegt Ron dat hij niet is gekomen om te kletsen, ze hebben een afspraak. 'Volgens mij is de afbraak zo goed als klaar. Nog even en je vrienden kunnen beginnen met graven. Jij wilt foto's maken voor de archieven, ík maak ze voor ons dorpsblad. Kijk, de afbraak van een halve straat met huizen is hier nieuws.'

Hij kijkt zo komisch, dat Manou in de lach schiet. Lachen, dat doet ze bijna niet. Het voelt zelfs raar...

'Trek je jas aan, Manou, ga met ons mee! Kun je zien hoe ik zeer beroepsmatig te werk kan gaan.'

Manou wil roepen dat ze geen belangstelling heeft voor puinhopen. Puin heeft ze genoeg voorbij zien komen, de afgelopen weken. Vrachtwagens vol afbraak denderden door de Kloosterdwarsstraat. Toch schiet ze haar jas aan en loopt met de mannen mee. Ron haakt zijn rugzak om en Manou begrijpt dat hij daar zijn apparatuur in heeft zitten.

Ondertussen vertelt Fabian hoe de omgeving hier vroeger eruitgezien moet hebben. Er zijn prenten van, meent hij.

'Dan moet je naar meneer Moerman, kerel. Ken jij niet, je bent te lang in het buitenland geweest. Alex Moerman is directeur van de basisschool geweest. En oudheidkundige. Hij geeft lezingen, heeft hier in het dorp een clubje voor belangstellenden opgericht met wie hij het verleden in kaart brengt. Je staat er versteld van wat de mensen zoal op zolder hebben liggen. Oude kaarten en boeken, en iemand heeft zelf een stokoud schrift met recepten die ooit door een of andere monnik zijn samengesteld. Ik ga ervan uit dat meneer Moerman je heel wat kan vertellen. Vreemd dat je hem nog niet hebt ontmoet. Hij is er als de kippen bij wanneer er wat afgebroken wordt. Niet dat er veel te vinden is. Ja, pijpen van steen, sommige nog in goede staat.'

Fabian is meteen geboeid en Manou, Manou luistert. Het gesprek gaat over haar hoofd heen, van de een naar de ander. Ze huivert in haar jas, de oostenwind is koud.

Rondom de kraters waar ooit huizen stonden, staan stevige hekken. Verboden toegang voor onbevoegden, staat op een bord te lezen.

'Wij zijn bevoegd,' stelt Ron vast en hij loopt door de opening waar de vrachtwagens ook in- en uitgereden hebben. Het groot materiaal is al weg.

Niemand die op hen let.

'Daar zul je hem hebben. Meneer Moerman in eigen persoon,' zegt Ron.

'Moet die man niet op zijn werk zijn?' informeert Manou, terwijl ze door opgedroogde bagger achter de twee mannen aan loopt.

'Vervroegd pensioen.' Dan roept Ron: 'Ha, meneer Moerman! Al wat gevonden voor uw museum?' grapt hij, terwijl hij op een vitale man toeloopt die Riekje als een 'keurige heer' benoemd zou hebben. Hij draagt groene rubberlaarzen en alleen aan zijn witgrijze haar is te zien dat hij niet meer tot de jongere garde behoort.

'Ach, jij hier? Had ik kunnen weten. Nee, het zoeken is nog niet begonnen.' Hij kijkt aarzelend naar Fabian. 'Kennen wij elkaar ergens van?'

Ron stelt Fabian en Manou voor. 'U bent nieuw in het dorp, is het niet? Ik heb het vernomen. Ja, we leven in een kleine gemeenschap en alles wat nieuw is gaat gelijk over de tong. Ik denk dat dit vroeger nog veel erger was!'

Hij weet van Fabians bestaan en even later zijn die twee verdiept in een gesprek dat op deskundigheid duidt.

Ron trekt Manou mee. Of ze zin heeft wat mensen van haar eigen leeftijd te leren kennen? 'In de zomer is er meer te doen, dan wordt er meer gesport, gezwommen en worden er tochten door de bossen gemaakt. Maar ik kan je aan een paar meiden van je eigen leeftijd voorstellen. Ik heb drie zussen. De oudste is even buiten beeld... De andere twee zijn getrouwd, het zijn leuke meiden. Hanna woont niet hier, maar Emmelien wel. Zij runt de boekhandel. En als je een baantje zoekt, zij kan in de decembermaand altijd wel een hulpje gebruiken. Als je dat niet te min is.'

Manou kijkt hem verwonderd aan. Te min, werken in een boekwinkel? 'Ik ben dol op lezen en alles wat met een kantoorboekhandel van doen heeft. De geur van aangeslepen potloden...'

Ron legt een hand onder haar arm zodra ze over ongelijk terrein lopen. 'Aangeslepen potloden. Emmelien zou het gezegd kunnen hebben. Geef mij maar de geur van benzine, diesel, smeerolie!' Hij steekt zijn handen uit en het is te zien dat die gebruikt worden voor niet al te fijn en schoon werk.

Ze staan nu op de plek waar ze niet verder kunnen en mogen. Er is een diep gat te zien, waar nog stukken steen en leidingen te zien zijn. Ron geeft een verhandeling over de kunst van het slopen. 'Je kunt er niet zonder meer met een sjovel op afdenderen. Nee, de mannen die hier werken weten wat ze moeten doen. Een vak apart!'

Er komt een man in een overall en met een helm op zijn hoofd op hen toe. 'U hebt hier niets te zoeken, neem ik aan.'

Ron stelt zich voor en zegt dat hij van de pers is en foto's voor de krant wil maken. Manou heeft binnenpretjes. De pers, dat is een groot woord voor een man die footootjes voor het plaatselijke sufferdje wil maken!

Maar de pers is een toverwoord. Ron haalt uit zijn rugzak een camera en gaat aan de gang, terwijl de bouwvakker hem met de ogen volgt. Als Ron ook hem vereeuwigt, tikt hij met twee vingers aan de rand van zijn oranje helm. Even later roept hij hen toe dat ze voort moeten maken, het is tijd om naar huis te gaan en het hek te sluiten.

Fabian en meneer Moerman staan nog op dezelfde plek waar ze aan elkaar werden voorgesteld. Ron slaakt een zucht. 'Twee fanatici bij elkaar. Die kunnen wel doorkletsen tot ze wortel hebben geschoten.' Hij maant hen aan mee te gaan. 'Anders kun je hier op het puin overnachten.' Fabian zegt wel op slechtere plekken geslapen te hebben.

Alex Moerman loopt met hen mee en eenmaal op straat wordt hij gegroet door kinderen. 'Ha, die meester!'

Fabian nodigt hem uit thuis het gesprek voort te zetten.

Tja, denkt Manou, hun gehuurde woning is zíjn thuis.

Daar denkt Fabian pas aan als hij de deur met zijn sleutel opent. Riekje heeft het gezelschap zien aankomen en loopt hen in de hal tegemoet.

Ze is dolnieuwsgierig wie die aantrekkelijke vijftiger wel mag zijn. Alex Moerman? 'Hoor ik u te kennen? Uw naam heb ik horen noemen, maar het verband wil me niet te binnen schieten.' Ze lacht allerliefst naar hem en steekt haar handen uit om zijn loden jas aan te pakken. Hij is zelfs zo beleefd om zich van zijn laarzen te ontdoen en als blijkt dat er een gat in zijn ene sok zit waar de grote teen doorpiept, schiet iedereen in de lach. Alex Moerman haalt zijn schouders op als verontschuldiging. 'Dat heb je nu eenmaal met vrijgezellen,' zegt hij quasiklagend.

Vrijgezel? Manou schrikt als ze de ogen van haar moeder ziet opleven.

'Het is tijd voor koffie. En Fabian, ik heb de oven van je moeder uitgeprobeerd, een heerlijke cake is het resultaat.'

Het gesprek over oudheidkundige vondsten en gewoonten wordt nu algemeen en Riekje weet slimme vragen te stellen. Manou vlucht naar de keuken waar ze een pot koffie zet en de cake aansnijdt. Goed, haar moeder hoeft van haar echt niet haar leven in eenzaamheid te slijten. Duidelijk is dat ze bezig is zich een vriendenkring op te bouwen. Maar de manier waarop ze Alex Moerman aankeek, ziet Manou als ontrouw aan haar vader. Hij is nog maar een paar maanden niet meer onder hen, het woord 'dood' doet haar zeer. Maar mam kijkt duidelijk verder...

Koffie in de kopjes, suiker en melk voor de liefhebbers en een schaaltje cake.

In de kamer is het gezellig, de schemerlampen zijn aan en er wordt gelachen. 'Kom erbij zitten. Hoe was je naam ook alweer?' informeert meneer Moerman.

Manou houdt zich afzijdig, gaat stilletjes wat achteraf zitten en blijft zich verbazen over haar schaterende moeder.

Dan piept de telefoon in de rugzak van Ron. 'Nee hè!'

Het is zijn vader, die hulp nodig heeft in de garage. Hij duwt het toestel in zijn borstzakje en verzucht dat zijn vader een workaholic is. 'Ja, vroeger, toen hij een jongen was, moest hij werken. Ik krijg het vaak te horen. 'Als jij wist hoe wij vroeger...' enzovoort. Enfin, nu heeft pa een peloton aan personeel en raad eens wie de smerigste handen heeft? Juist, pa.'

Hij staat op en trekt zijn jack aan. Het is Riekje die met hem mee naar de voordeur loopt. 'Leuk je te hebben leren kennen, Ron. Heet je vader toch niet... eh...'

Ron staat al met één voet buiten. 'Anton. Auto-Anton noemden ze hem vroeger.' Hij lacht van oor tot oor en merkt niet dat Riekje hem peinzend aankijkt. Ze knikt.

Waarom ze dat vroeg?

'Ik ben hier geboren en getogen en het is leuk oud-dorpsgenoten terug te zien en te horen hoe het hun is vergaan. Kom gauw eens terug, Ron!'

Ron steekt een hand op en is al op weg naar de garage waar op hem gewacht wordt.

Meneer Moerman heeft het naar zijn zin. Het kost hem alleen moeite eraan te denken dat hij zijn voet met de ontblote teen achter de andere moet verschuilen.

Riekje kan het gesprek niet meer goed volgen, het wordt te technisch. Zodra ze de kans krijgt vraagt ze meneer Moerman uit over de club die hij opgericht heeft. Of die ook toegankelijk is voor belangstellenden, voor leken?

Zeker, zeker. Riekje is van harte welkom. Misschien wil ze zelfs wel een taak op zich nemen. De secretaresse is helaas wegens langdurige ziekte verhinderd. En ja, de notulen moeten wel bijgehouden worden. Riekje straalt en lijkt opeens wel tien jaar jonger. Ze accepteert het aanbod met graagte.

Dan nodigt ze spontaan meneer Moerman uit om te blijven eten. Hij zegt dit graag te doen. 'Wat dacht u: een man die een sok met een gat draagt, zal ook wel niet in staat zijn zelf een behoorlijke maaltijd te creëren?'

Een uurtje later is het al Alex en Riekje. 'Dat 'u', 'meneer' en 'mevrouw' is niet meer van deze tijd en we willen toch méé met de jeugd!'

Maar het is Manou die uiteindelijk de tafel dekt. Haar moeder roept dat ze het gele ruitjeskleed moet pakken.

Aardappelen, rode kool met appeltjes en ouderwetse gehaktballen. Alex Moerman weet het allemaal te waarderen en Fabian zegt dat hij een goed kosthuis heeft.

Na de maaltijd kijkt Alex verschrikt op zijn horloge. 'Lieve mensen, ik heb een vergadering. Dat zou ik toch bijna vergeten, hoe is het mogelijk, hoe is het mogelijk. Dat wordt haasten, mensen! Volgende keer help ik met afwassen.'

'Aardige man. En deskundig ook nog. Mijn archeologievrienden zullen op hem gesteld zijn en op zijn deskundigheid.' Dat zegt Fabian, terwijl hij en Manou de tafel afruimen.

'Tja, dat is mijn mama met je eens.'

Ze horen Riekje bij de deur roepen: 'Eerst naar huis, Alex, voor hele sokken!'

Het humeur van Riekje is niet meer stuk te krijgen. Ze wil van Fabian weten wat meneer Moerman zoal voor functies in het dorp vervult, maar daarvoor moet ze bij een ander zijn.

'Ik ben hier niet meer bekend met dat soort dingen. Alleen mijn vrienden zorgen ervoor dat ik zo'n beetje op de hoogte blijf.'

Manou heeft haar mond al open om te vragen hoe dat met zijn ouders zit. Komt hij echt zo weinig thuis? Soms is het beter bepaalde vragen voor je te houden, dat heeft ze van haar vader geleerd.

'Heb je nog plannen, Fabian, om je ouders in Spanje op te zoeken? Met Kerst of zo? Lijkt me heerlijk om even naar de zon te kunnen. Het is hier zo grauw en de dagen zijn zo kort.'

Die uitspraak verbaast Riekje. 'Daar heb jij nog nooit over geklaagd, Manou.'

Nee, Fabian heeft nog geen plannen in die richting. En legt niet uit wat daarvan de reden is.

Hij drinkt een kop koffie en geniet van de cake, maar daarna stapt hij op. Afspraken met vrienden.

Bij de deur blijft hij even staan, aarzelt en zegt dan: 'Ik zal zo zacht mogelijk doen als ik thuiskom.'

Riekje is vertederd.

Zodra hij buiten gehoorsafstand is, zegt ze: 'Wat is het toch een lieverd. Ja, zo oogt hij niet, maar af en toe laat hij een oprecht stukje Fabian zien. En ik zei gisteren nog tegen Bettie: die jongen is geen niksnut!'

Manou kreunt. Mama op de dwepers-toer. 'Ja, mam, jij hebt mensenkennis,' spot ze.

'Zo is het maar net!' reageert Riekje, tevreden met zichzelf en de wereld om haar heen.

5

RON HERWAARDEN HOUDT WOORD.

Op een mistige ochtend is Manou het huis aan het stofzuigen als hij belt.

Manou reageert stug. Dat doet ze wel vaker als ze ergens verbaasd over is. Ron schijnt het niet op te merken.

'Als het je schikt heb ik wat leuks voor je. Jawel, nu op dit moment. Mijn zusje die de boekwinkel runt, staat te springen om hulp, zo vlak voor sinterklaas. Alle aankopen moeten worden ingepakt, weet je wel. En ze kan slecht tegen een rij mensen bij de kassa. Ik dacht, toen ze klaagde, meteen aan jou! Ze wil je niet alleen graag leren kennen, maar ze hoopt dat, als jullie elkaar liggen, je voor vast haar een paar dagen in de week kunt assisteren. Lijkt het je wat?'

Manou geeft met haar ene voet de stofzuiger een duwtje. 'Zeker wel. Nu meteen zeg je? Waarom niet?' Stofzuigen kan altijd nog. Ze neemt, als het gesprekje is beëindigd, niet eens de moeite het ding terug te zetten waar het hoort.

Mam is niet thuis. Dan maar een briefje op de keukentafel met tekst en uitleg. Ze heeft net haar naam onder het kladje gekrabbeld, of Fabian komt de keuken in. Ogen dik van de slaap, ongeschoren en nog in pyjama. 'Ga je uit?'

Hij wijst op haar jas, die al naast de schoudertas op een stoel klaarligt.

'Ja joh, Ron Herwaarden belde en vroeg of ik zijn zusje in de boekwinkel wilde helpen. En ja, dat lijkt me leuk. Leuker dan stofzuigen, in ieder geval!'

Ze loopt naar de kamer terwijl ze haar jas aantrekt. Fabian zegt goedig dat hij straks het zuigen wel zal afmaken. 'Weer eens wat anders dan door de lens van mijn fototoestel kijken.'

Manou besluit niet de fiets te pakken, maar te voet naar de winkel te gaan. Ze ademt de frisse lucht in en geniet van wat ze ziet. Tuinen half verstopt door de mist, van de bomen kan ze de kruinen niet zien. Het is windstil, alsof de natuur even pauzeert en bezig is met een winterscenario.

Het is nu, halverwege de ochtend, al behoorlijk druk in de boekwinkel. Het fietsenrek wordt goed benut en op de uitsparing op de weg, voor de zaak, staan auto's kop aan staart.

Ze monstert een ogenblik de etalage, waar nog eikels, kastanjes en herfstbladeren in liggen.

In de winkel heerst een gezellige sfeer. Uit een luidspreker komt sinterklaasmuziek. Heldere kinderstemmen die de aloude liedjes ten gehore brengen.

Heel even aarzelt Manou. Ze bekijkt de boeken die pas verschenen zijn en gerangschikt liggen op een tafel midden in de zaak.

Achter de toonbank is een jonge vrouw bezig met afrekenen.

Moet ze wachten tot ze aan de beurt is? Manou Altena, de zelfverzekerde rechterhand van haar vader, staat hier te klungelen omdat ze niet weet wat de juiste manier van kennismaken is.

Zodra de verkoopster afscheid van de klant neemt en haar de onvermijdelijke 'prettige dag verder' heeft toegewenst, vat Manou moed en buigt zich tussen twee vrouwen met boeken in hun handen door en wringt zich over de toonbank. 'Ik ben Manou en zou je komen helpen, volgens Ron.'

Een brede lach breekt op het gespannen gezicht door. 'Meer dan welkom, Manou! Ik ben Emmelien, de zus van Ron. Ik ben even druk. Zo dadelijk kunnen we praten. Kijk ondertussen even rond. En je jas kun je in de gang hangen. Die deur daar door.'

'Zachtjes gaan de paardenvoetjes... trippel trappel trippel trap!'

Ze zingt het vanbinnen mee. Een baantje, dat zal haar dagen anders maken. Nu kan ze, net als haar moeder, bezig zijn met het hier en nu.

In de ruime hal is het rommelig. Er staat een kinderfietsje, in een hoek slingeren laarzen en pantoffels.

In een andere hoek staan dozen opgestapeld, ongetwijfeld met spullen voor de winkel. Een poppenwagen met een dikke beer staat midden in de ruimte, twee poppen liggen met hun gezichten naar beneden ernaast. Vanachter een deur komt een klagend kinderstemmetje dat om mama roept. Manou is zo vrij om poolshoogte te nemen.

Achter de deur is een huiskamer, waar het net zo'n chaos is als in de gang. Op een bank, weggedoken onder een dekbed dat bedrukt is met prinsessen, ontwaart Manou een klein meisje.

'Ik wil jou niet, mama moet komen! Ikke heb dorst.'

De wangetjes zijn rood van koorts, de ogen fonkelen.

'Ik ben Manou. En ik kan jou best wat te drinken geven. Wat wil je hebben? Water uit de kraan? Of iets uit de koelkast?'

Het kind komt iets overeind en wijst naar de tafel, waarop de ontbijtboel nog staat. 'Daar. Uit dat pak. Dat is sap.'

Manou pakt een beker die er ongebruikt uitziet en schenkt er een scheut in. Het kindje smakt met de lipjes. 'Lekker. Nog wat!'

Manous handen jeuken om hier aan de slag te gaan. Maar zo vrijmoedig is ze niet. Misschien duikt er zo dadelijk een hulp op, of een familielid wiens taak het is de orde te herstellen.

Opeens vliegt de kamerdeur open en het kind roept: 'Mama!'

Ze steekt de armpjes uit en begint te huilen.

Manou wil zich verontschuldigen. Ze heeft haar jas nog niet eens uitgetrokken. Emmelien zal haar wel een brutaal nest vinden.

'Je hebt al drinken, geweldig, popje. Dankjewel, Manou! Ze gilde zeker?'

'Nou ja, dat niet direct. Sorry als ik te vrijpostig ben...'

Emmelien zegt gehaast dat ze juist blij is dat Puckie zich niet schor heeft moeten schreeuwen om gehoor te krijgen.

'Het loopt me om. Normaal gesproken helpt mijn zus me, maar die heeft momenteel andere bezigheden. En ik wil niet de eerste de beste in huis halen. Daar heb ik het nodige van meegemaakt. Wil je héél misschien een kwartiertje Puckie gezelschap houden? Ik weet dat je daar niet voor bent gekomen, maar het zit zo... Jelle, mijn man, is beroepsmilitair. Gisteren is hij vertrokken. Dat is altijd zo'n dramatisch gebeuren. De hele familie kwam afscheid nemen terwijl we graag die laatste dag samen waren geweest.'

Er snerpt een bel en Emmelien legt uit dat dit de winkelbel is. 'Ik ben zo terug.'

Puckie kijkt Manou vol verwachting aan. 'Ga je voorlezen of zullen we met de poppen spelen? Ik heb van papa een dikke beer gekregen. Maar die past niet in de poppenwagen.'

Manou trekt haar jas uit, hangt die in de gang aan een overvolle kapstok en raapt de poppen van de grond.

'We hebben het koud! En de dikke moet uit de wagen, die is van ons!' zegt ze met een piepstemmetje. Puckie giert van het lachen, barst daarna in een hoestbui los, maar dat mag de pret niet drukken.

Even later zijn beiden druk in de weer. De poppenkinderen moeten hun jurkjes ruilen. En de schoenen zijn zoek. De dikke beer mag naast Puckie op de bank. Hij bromt zacht.

Emmelien komt gehaast de kamer weer in. 'Te gek, Manou. Je bent een engel! Geweldig. Ik schaam me echt. Kijk nou toch, de tafel is nog niet eens afgeruimd.' Manou staat al.

'Als je zegt waar de spullen heen moeten, doe ik dat even. Geen moeite.'

Weer de snerpende bel. 'Daar is de keuken. Het maakt niet uit waar je het neerzet... zie zelf maar.'

Puckie wordt moe, ze zakt achterover en duwt haar hoofdje tegen het kussen. 'Zo warm,' klaagt ze. Manou maakt in de keuken de punt van een handdoek nat met koud water en bet het kleine gezicht. Het kind kijkt haar waarderend aan.

'We spelen zo verder. Ik ruim even de tafel af, dat is gezelliger.'

Zo ben je thuis aan het stofzuigen, om het volgende moment een ziek kind te troosten.

De keuken is modern en van alle gemakken voorzien. Manou ruimt alles op, stopt de afwas in de vaatwasser en laat het aan de vrouw des huizes over het apparaat aan te zetten.

Als ze in de kamer terugkomt, is Puckie diep in slaap.

Ze sluipt de kamer uit, richting winkel.

Emmelien is druk bezig met het inpakken van prentenboeken. Sinterklaaspapier, de rollen vliegen erdoorheen, beweert ze. 'Slaapt Puckie? Gelukkig. Dat mag ook wel na het nachtbraken. Niks zo vermoeiend als een ziek kind. Misschien wil jij het inpakken overnemen?'

Het is maar een kleinigheid, maar toch scheelt het de eigenaresse van de zaak veel tijd.

Het valt Manou op dat iedereen die in de winkel komt elkaar kent. Er wordt gegroet, geïnformeerd naar dit en dat, gelachen ook. Ze voelt zich een buitenstaander.

Tegen twaalf uur wordt het rustiger.

Maar niet op straat. Er fietsen vaders en moeders gehaast voorbij, om vooral niet te laat bij de school te zijn.

Emmelien zucht dat het gemakkelijker wordt als Puckie naar school mag.

'Ik heb niet eens tijd om aan mijn Jelle te denken. Ik háát dat beroep van hem. Maar het is zijn lust en zijn leven. Zíjn leven, begrijp je. Enfin, ik mag niet zeuren van mezelf. Kun je blijven lunchen? Dan doe ik de winkel een halfuurtje dicht.'

Manou zegt even naar huis te bellen om haar moeder te informeren. Ze rommelt in haar tas en net als ze de mobiel vindt, laat deze weten dat ze zelf gebeld wordt.

'Mam, ik wilde je net bellen. Zeg, ik blijf nog even hier.'

Riekje ratelt door. Ja, ze heeft het briefje gevonden. En zelf moet ze al weer vroeg op pad, ze heeft beloofd te helpen met het rondbrengen van sinterklaassurprises naar bejaarden. 'Dus tot vanavond.'

Emmelien draait de deur op slot en trekt Manou mee naar de keuken. 'We zullen zacht doen zodat Puckie niet wakker wordt. Een ziek kind is een ellende, geloof me. Maar een herstellend kind is zo mogelijk nog erger.'

Ze is verrast dat Manou de ontbijtboel heeft opgeruimd en zegt zich te generen. 'Nu krijg je heerlijke soep. Gemaakt door mijn moeder en die kan er wat van. Croissantjes, die heeft mijn broer me net gebracht.'

Emmelien lijkt op Ron, dezelfde bruine ogen. Alleen de haarkleur is anders. Als ze daar een opmerking over maakt, zegt Emmelien dat het dorp een heel goede kapper heeft. 'Ik ben van plan om, als ik Jelle ophaal als hij klaar is met zijn missie, mijn haar vuurrood te laten verven. Zodat hij moet zoeken waar zijn lief toch wel staat.'

Manou mág deze Emmelien wel. Het is of ze haar al jaren kent, zo vertrouwd voelt het. In een mum van tijd staat er een lunch op de keukentafel. En de soep is inderdaad verrukkelijk.

'Vertel eens over jezelf, wat je voor werk deed.'

Manou vertelt, maar hoort zelf niet het heimwee in haar stem.

'Je vader is dus overleden. Dat lijkt me zó erg! Ik ben een vaderskind. Altijd al geweest. Mijn dochter heeft niet veel kans om een vaderskindje te worden... Jelle is meer weg dan dat hij thuis is. Het zij zo. Maar daar is compensatie voor.'

Ze wijst naar het keukenraam, waar een hoofd voor verschijnt. Het is Ron. Hij kan net over het halve gordijntje heen kijken. Manou schiet rechtop. Leuk, Ron. Ze mag hem graag, ook al kent ze hem nauwelijks.

'Mensen, wat is het koud! De mist is nog dikker geworden. Leuk dat je er bent, Manou. Laat mijn zusje je hard werken?'

Hij legt een pakje verpakt in vrolijk sinterklaaspapier, op de keukentafel. 'Voor de zieke.'

Broer en zus kunnen het samen goed vinden, merkt Manou. Dat heeft ze heel haar jeugd gemist, een broer of zus met wie je kon ruziemaken, maar ook lachen en later samen herinneringen delen.

Het lunchhalfuurtje is snel voorbij. Ron blijft niet lang. Hij moet op weg om voor een klant een auto te bekijken.

'Alsjeblieft, rijd voorzichtig,' smeekt zijn zus. 'Die ellendige mist ook!'

Ron zoent haar op haar kruin en zegt de beste chauffeur uit de provincie te zijn.

Even later steekt hij een hand op, vlak boven de rand van het gordijntje. 'Ron is mijn steun en toeverlaat. Vooral als Jelle weg is. Hij heeft humor, is verdraagzaam, kan luisteren... Kortom: de ideale schoonzoon!' Ze kijkt Manou veelbetekenend aan.

Puckie is diep in slaap, zodat Emmelien Manou in de winkel van alles kan uitleggen. 'De kassa, weet je hoe die werkt? Hij is spiksplinternieuw en heel gemakkelijk. Kom naast me zitten, op die kruk daar. De prijzen staan achter op elk boek, elk voorwerp. Het gaat zo...' Manou is een snelle leerling en na even oefenen denkt ze het incasseren onder de knie te hebben.

Vervolgens loopt Emmelien met haar door de winkel om te wijzen hoe de indeling is. 'Boven de planken staat om welke boeken het gaat. Romans, literatuur, spanning, religie, wetenschap. Gezondheid en sport... Enfin, dat zie je vanzelf. Waar we voor moeten oppassen is dat er niet van die kleine spulletjes gestolen worden. Volgend jaar schaffen we een alarmsysteem aan. Je kent het, een rinkelbel als je met een onbetaald voorwerp langs het poortje gaat. De jeugd is het ergst! En een tijd terug hadden we last van een kleptomaan. Een vrouw. Keurige dame uit de chique wijk. Ze ging van winkel tot winkel... Nu zit ze in therapie. Maar in een dorp als dit vergeet niemand zulk soort dingen. Dus moet het arme mens van armoe verhuizen.'

Dan komen de eerste klanten.

Manou probeert zich te gedragen als een volleerde winkelhulp. Een vrouw vraagt haar om te helpen met het uitzoeken van een boek voor een kind van tien. Na even zoeken vindt ze in de kinderhoek de boeken voor die leeftijd.

'Het is leuk werk!' zegt ze aan het eind van de middag. Opeens staat er een kop thee voor haar klaar. Het blijkt dat Emmeliens moeder achterom het huis is binnengekomen om zich met haar kleindochter bezig te houden.

Mevrouw Herwaarden is een sympathieke vrouw, vindt Manou, en echt het type dat haar moeder moet leren kennen.

'Hoe vind je het in een dorp als het onze?' vraagt ze. 'Kunnen jullie wennen? Ik meen dat de familie Goossen tegen de Pasen terugkomt. Gaan jullie dan naar huis als het niet lukt met een nieuwe woning?'

Even staat Manou met de mond vol tanden. Nieuwe woning?

'Ach ja, zo gaat dat hier. Ik sprak mijn zwager, die een makelaardij heeft. Hij vertelde dat je moeder belangstelling voor een bepaald huis heeft. Je ziet het echt vaker, dat mensen als ze ouder worden terugkeren naar hun geboorteplaats. In ieder geval zijn jullie welkom. Daar zal Emmelien het wel mee eens zijn.'

Na nog een piek rond een uur of drie wordt het rustiger in de zaak.

'We moeten het nog over je salaris hebben. Wil je alles nog even aanzien? Een paar dagen op proef? Ik kan me voorstellen dat je niet elke dag wilt werken. Weet je wat ik zal doen? Een schemaatje maken met de tijden dat ik graag de handen vrij zou willen hebben. Vanwege Puckie en andere bezigheden. Ik wil je niet overvragen, Manou.'

Opgewekt maar vermoeid loopt Manou even na vijven naar huis. De mist is de hele dag blijven hangen en nu het donker is, lijkt het nog intenser.

Thuiskomen van je werk is heel anders dan thuiskomen na wat rondgelopen te hebben, of na het halen van een paar boodschappen. Het buitenlicht is aan, net als de schemerlampen in de kamer. De gordijnen zijn niet gesloten.

Ze stapt welgemoed het huis binnen en roept dat ze er weer is. Riekje komt de kamer uit, een tijdschrift in haar hand.

'En, hoe was het? Ik had nog even in de boekwinkel willen kijken, maar ik ben zo druk geweest vanmiddag. Was het naar je zin?'

Zoals gewoonlijk kan Riekje niet lang luisteren.

'Kom eens mee, ik heb hier een makelaarskrant met foto's en beschrijvingen van huizen uit het dorp en de wijde omgeving.'

Manou hangt haar jas weg en moppert dat ze van anderen moet horen dat mam op huizenjacht is gegaan.

Riekje bloost. 'Nou ja, ik neem aan dat jij hier toch niet je leven lang wilt blijven wonen. Je maakt niet bepaald een gelukkige indruk.'

Manou ploft op de bank neer en slikt in wat ze had willen zeggen. Hoe kan een mens gelukkig zijn als hij of zij in de rouw is? Ze durft haar moeder niet te verwijten dat deze zelden over papa spreekt, hem niet, zoals zij, schijnt te missen.

Riekje spreekt vlot de namen van voor Manou onbekende straten uit. Vertelt wat er in de afgelopen jaren is afgebroken en nieuw is gebouwd, wat er nog staat aan oude glorie.

'Soms denk ik dat ik wel in een huis zou willen wonen dat vroeger onbereikbaar voor ons was vanwege het inkomen van mijn vader. Mijn moeder werkte niet, deed alleen vrijwilligerswerk. In het bejaardenhuis. Dus pa moest het alleen verdienen. Zo'n huis als dat huis waar vroeger zijn chef in heeft gewoond... Vind je het kinderachtig als daar mijn verlangen naar uitgaat?'

Manou wil eerlijk zijn. 'Eigenlijk wel, mam. Wat doet zoiets er nu toe? Opa zou het niets kunnen schelen, als hij nog leefde. Geen mens zal roepen: 'Die kleine Riekje heeft het toch maar ver geschopt, ze heeft duidelijk geld... is met een man met centen getrouwd!'

Riekje gooit de folder van zich af. 'Bah, wat een misselijke opmerking. Niks voor jou!'

Manou rekt zich uit. Zo te merken heeft haar moeder nog niets aan het avondeten gedaan en háár maag knort.

'Nou ja, mam, we mogen papa dankbaar zijn dat hij ons zo verzorgd heeft achtergelaten. Ondanks het feit dat hij nog te jong was om te sterven.'

Riekje veegt langs haar ogen. Ze wordt niet graag aan die nare periode herinnerd en is dagelijks blij weg te zijn uit de polder, weg van het industrieterrein. Ze kijkt Manou, die de kamer verlaat, met boze ogen na. Manou met haar vaderverering. Ze moest eens weten...

De volgende dag is Manou om negen uur present in de boekwinkel. Emmelien doet net de deur van het slot en heet haar welkom. 'En, heb je er zin in?' Met die woorden begroet ze haar hulp.

'Best wel. Hoe gaat het met je dochtertje?'

Een antwoord is niet nodig, Puckie stapt geheel gekleed de winkel binnen. 'Fijn dat je er bent, Moe!' roept ze verheugd. De twee vrouwen verbeteren haar gelijk.

'Het is Mánou, Puckie.' Puckie haalt haar schoudertjes op. 'Moe!' Ze blijft bij haar eigen idee. Emmelien zegt dat het kind vaker namen afkort. 'Oop en oom, dat zijn mijn ouders. Gisteren kreeg ik telefoon van mijn zus. Hanna vertelde dat mijn vader zich niet goed voelt. Hij is de laatste tijd heel snel moe. Omdat de huisarts niets kan vinden, wordt hij doorgestuurd naar het ziekenhuis. Misschien kunnen de artsen daar erachter komen wat hij heeft. Ach, pa heeft het ook niet makkelijk. Weet je, mijn oudste zus heeft gigantisch ruzie met pa. Om een man, die hij voor haar niet ziet zitten. Margriet heeft het contact verbroken, maar via via hoorden we dat haar relatie inmiddels verleden tijd is. Ze schijnt bovendien ziek te zijn. Margriet was altijd pa's oogappel, en ik denk dat hij zich nu schuldig voelt.'

Manou hangt haar jas weg terwijl Emmelien de verlichting inschakelt. 'Licht hebben we nodig.' Ze babbelt opgewekt verder, springt van de hak op de tak, terwijl Manous gedachten om de misschien zieke vader en zieke zus blijven hangen.

'Het is ellendig als je ouders beginnen te sukkelen. Mijn vader is onverwacht overleden. Mijn moeder pakt de draad van het leven goed op. Ze is daar beter in dan ik. Maar ja, ik was een vaderskind.' Emmelien wijst op een paar grote dozen. 'Die zijn vanochtend vroeg bezorgd. Wil jij ze uitpakken? De inhoud moet gecontroleerd worden. Hier heb je de lijst.'

De eerste klanten druppelen binnen, vrouwen die hun kinderen naar school hebben gebracht. Zo te horen kent Emmelien ze allemaal bij naam en toenaam.

Tussen de middag fietst Manou naar huis en ze koopt onderweg verse broodjes bij de bakker, in de hoop haar moeder te verrassen. Riekje is nog maar net thuis en zegt langs haar neus weg dat ze met de makelaar, Dirk-Peter Herwaarden, langs een paar huizen is geweest. 'Ik begin te weten wat ik wil.'

Hoe leuk ze het ook zou vinden om in de woning te trekken die van een bekende is geweest, ze kiest nu toch voor nieuwbouw.

'We zouden samen op huizenjacht kunnen gaan, maar onze smaken verschillen. En jij wilt op den duur toch op jezelf wonen, neem ik aan!'

Onder het eten vertelt Riekje over de gesprekken die ze met Dirk-Peter heeft gevoerd. 'Ik ken zijn familie behoorlijk goed, moet je weten. De Herwaardens doen het nog steeds uitstekend. De boekhandel waar jij bezig bent, is van Anton. Hun naam staat op de ramen, ook al is hun dochter die daar de leiding heeft, getrouwd en heeft zij dus een andere naam. Het is zo leuk om over iedereen die ik uit het oog verloren was van alles te horen. Ik moet steeds denken aan de reünie waar jij, voor we gingen verhuizen, bent geweest.'

Manou bebotert het laatste broodje. 'Daar vond ik niet veel aan, mam. Ik werd niet gepest, vroeger, maar ik stond wél overal buiten. Ik hoorde bij geen één vriendengroepje, zoals jij vroeger.'

Riekje straalt. Ze denkt erover zelf een reünie te organiseren. 'En wel van de basisschool. Want daarna waaierde iedereen een andere kant op. Niet alleen ging men naar verschillende vervolgopleidingen, er werd ook vaak voor een andere grote plaats gekozen.'

Manou kent de meeste verhalen die haar moeder opdist zo langzamerhand uit het hoofd en soms wil ze zeggen: 'Wie zal het vertellen, jij of ik?' Maar dat vindt ze niet aardig van zichzelf.

'Maar ik wil dat je niet te lang in die boekwinkel blijft hangen. Je bent tot zoveel meer in staat. Waarom ga je niet een studie volgen?'

Manou griezelt. 'Bedankt. Ik vind het leuk om in de winkel bezig te zijn. Je ziet – vrijblijvend – heel wat mensen. Ik ben niet zoals jij, mam. Ik heb echt geen behoefte aan een clan vrienden en clubjes. Vroeger was je toch ook niet zo...'

Riekjes mondhoeken trekken omlaag. 'Jij en je vader waren altijd en eeuwig over het bedrijf aan het praten. Ik kwam er nooit tussen. Wat beleefde ik nou? En voor mijn herinneringen had niemand belangstelling. Ik heb eindelijk het gevoel dat ik weer leef!'

Riekje heft de ontstane spanning op door lachend te vertellen dat Alex haar heeft uitgenodigd mee te gaan naar een avond van een historische vereniging in Rheden.

'Alex?' peinst Manou hardop. Natuurlijk, meneer Moerman. 'En, ga je daarop in? Lijkt je dat interessant?'

Jazeker, sinds Fabian op hun pad is gekomen heeft Riekje belangstelling voor het verre verleden. 'Cultuur, kindlief. Een groot goed! Daar moeten we zuinig op zijn.'

De hele middag blijft Manou denken over de uitspraken van haar moeder. Hebben zij en papa haar echt verwaarloosd? Dat kan ze zich niet voorstellen. Die verwijten hinderen haar.

Riekje mag dan een uitnodiging van meneer Moerman hebben, diezelfde dag komt Ron de winkel binnen om te vragen of Manou zin heeft mee te gaan naar een uitvoering van de plaatselijke operettegroep. 'Je gelooft het niet, maar in dit dorp zit echt talent.' Emmelien doet er nog een schepje bovenop als ze de poster die Ron heeft meegebracht voor het raam van de winkeldeur hangt. 'Der Bettelstudent.' Ze neuriet een bekend wijsje.

'Leuk,' vindt Manou. Ondertussen vraagt ze zich af of Ron geen vriendin heeft. Hij is de leukste jongeman die ze ooit heeft ontmoet. Maar daar is, zo blijkt 's avonds, haar moeder het niet mee eens. 'Pas op dat jij je niet door de eerste de beste laat pakken. Wat weet je van die knaap? Wat ík weet, is dat hij uit een geslacht komt dat niet sterk is. Zijn grootvader is jong overleden.'

'Nou ja, mijn vader ook,' verdedigt Manou zich.

Riekje kijkt duister alsof ze in haar geheugen graaft. 'Als je maar oppast. Er lopen in dit dorp méér leuke vrije mannen rond.'

'Zoals ik.' Fabian heeft alleen de laatste woorden gehoord.

Hij ziet er ruig uit, ongeschoren, wat betekent dat de huid van zijn gezicht zwart en vuil lijkt. Ook moet zijn haar nodig geknipt. 'Jij bent vast op jacht naar oude rommel geweest,' lacht Manou, in de hoop hem af te leiden van haar moeders gebabbel.

'Reken maar. Mijn vrienden hebben zelfs een vrij ongeschonden pot gevonden. Je had ze moeten zien én horen! Ze gaan heel voorzichtig te werk. Hun angst is dat ze niet klaarkomen voor de bouw begint. En o ja, er is een muur ontdekt van het klooster. Als dat bekend wordt, stromen de dorpelingen toe, vrees ik.'

Na het eten gaat Fabian met zijn opnamen in de weer, zittend achter zijn computer die op zolder was opgeslagen. Af en toe roept hij Manou om te komen kijken. 'Ik zou bijna enthousiast worden voor de archeologie, maar uiteindelijk heb ik daar het geduld niet voor. Als je ziet hoe ze bezig zijn. Niet graven, maar schrapen. De spanning is te voelen! Het leuke ervan vind ik wel dat jachtgevoel. Telkens weer nieuwe verwachtingen en hopen dat je wat vindt.'

Manou kan zich daar niets bij voorstellen.

'Nou ja, jij hebt je fotografie. Ik wilde dat ik ergens warm voor liep. Zoals vroeger voor het bedrijf van mijn vader. Ik help nu Emmelien in de winkel, maar ik kan niet zeggen dat ik ernaar snak om in die branche te werken.'

Fabian neemt haar klacht serieus. 'Wat jij zou moeten doen, Manou, is je laten testen om uit te vinden wat je wél leuk lijkt. Voor je het weet verzeil je in een of andere baan die je achteraf niet bevalt. Kom je wéér om in de problemen. Ik ken een vrouw die mensen testen afneemt, en niet alleen scholieren die niet weten wat ze willen. Je hoeft je echt niet te schamen als je niet weet wat je wilt.'

Testen?

'Ik weet het niet... Woont die vrouw in het dorp?'

Fabian vertelt dat mevrouw Kelderman lerares Nederlands is geweest en na een ernstig auto-ongeluk invalide is geworden. 'Ze geeft nu pianolessen en ja, ze staat er bekend om dat ze succes heeft met haar testen. Ze heeft veel mensenkennis. Zal ik een afspraak voor je maken?'

Voor ze het goed en wel beseft heeft Manou toegestemd.

'Weet je, ik móet een plan maken. Mijn moeder is op huizenjacht en ik voel dat ze liever alleen woont dan dat ik meeverhuis. Je weet niet hoe mijn moeder veranderd is, en dat in korte tijd!'

Fabian zegt dat al begrepen te hebben. 'Je moeder geniet van haar vrij zijn. Ik denk dat ze zich niet happy voelde in de polder. Als ik haar daar over hoor praten, trek ik zo mijn conclusies. En ja, dan hebben we nog te maken met Alex Moerman.' Hij kijkt Manou veelbetekenend aan.

Manou verschiet van kleur.

'Dat kan niet. Nee, dat geloof ik niet. Mijn vader is nog maar een paar maanden overleden.'

Fabian lacht en richt zijn aandacht weer naar de beelden op de computer. 'Wacht maar af!'

Manou laat hem achter met zijn bezigheden en gaat die avond vroeg naar bed. Een plek, niet alleen om te slapen, maar waar ze ongestoord en diep kan nadenken.

6

MEVROUW KELDERMAN BLIJKT EEN WARME VROUW MET EEN VRIENDE-lijke uitstraling. Ze is afhankelijk van haar rolstoel. Lopen met stokken gaat wel, maar vooral niet te lang. 'Ik kan bijvoorbeeld lopend de voordeur voor mijn leerlingen openen. En voor jou. Maar dan hebben we het wel gehad.'

Van testen komt vooreerst niets. Ze zitten samen in de knusse woonkamer van een gezellig, wat ouder huis. Alles is er gebloemd, de gordijnen, bekleding van stoelen en de losse kussentjes. Rozen, allemaal rozen.

Ze legt uit dat dit haar hele leven al zo is. Ze is van kleins af aan omringd door rozen. 'Tja, dat heb je als je ouders je Roza noemen. Ik krijg bij feestelijke gelegenheden dan ook altijd bossen rozen, boeken over onderhoud van rozen, schilderijen met rozen, kopjes en glazen met een rozenopdruk... En als ik borduur, is het telkens hetzelfde. Rozen in een kan, rozen in de tuin, de variaties zijn eindeloos.' Een glanzend zwarte vleugel domineert in het vertrek. Ondanks haar handicap blijkt mevrouw Kelderman een gelukkig mens. En ja, ze kent de moeder van Manou ook. Van vroeger.

'Een vrolijk meisje, dol op feestjes en altijd omringd door vriendjes en vriendinnen.'

Alsof mevrouw Kelderman het over iemand anders dan Riekje heeft. Manou moet vertellen hoe het Riekje vergaan is in haar leven. 'Ik weet nog wel dat ze heel onverwachts met een vriend kwam aanzetten. Een paar jongens hadden een weddenschap afgesloten wie Riekje zou krijgen. Er waren een paar kandidaten. Er is wat gelachen om dat gegok. Ze was erg geliefd bij de heren. Maar ja, toen was er opeens ene Ruud, als ik me goed herinner. Groot feest, en weg was onze Riekje. Niemand hoorde ooit meer wat van haar nadat haar ouders waren overleden.'

Manou begint te begrijpen dat ze haar moeder slecht heeft gekend.

Alsof mam al die jaren van haar huwelijk een rol heeft gespeeld en nu langzamerhand zichzelf hervindt.

Na samen een pot thee leeggedronken te hebben, brengt mevrouw Kelderman het gesprek op Manou. Wat ze voor werk heeft gedaan, maar ook waar haar interesses als kind en jong meisje lagen. Het duurt even voor Manou zichzelf durft te geven en spreekt over wat haar bezig heeft gehouden.

'Ik dacht heel vroeger dat ik het leuk zou vinden kamers in te richten. Spullen bij elkaar zoeken. Dingen voor de wanden, kasten waar verzamelingen in kunnen, ongeacht wat. Mooie kleuren combineren. Soms moest ik mijn vader helpen met verhuizen. Er zijn mensen die alles maar dan ook alles aan de verhuizer overlaten. We gingen dan met een groepje naar zo'n huis en verdeelden de taken. Het tere spul nam ik altijd voor mijn rekening en heel soms droomde ik weg tijdens het inpakken. Ik bedoel niet de echt waardevolle kunstwerken, maar de aparte dingen. Verzamelingen, daar genoot ik van.'

Mevrouw Kelderman begint zich een beeld te vormen van de echte Manou, die verstopt zit in een gespannen jonge vrouw. Later op de middag komt ze met haar testjes op de proppen.

'Ik wist niet dat het zo gezellig zou worden!' roept Manou spontaan als het tijd is om te vertrekken.

'Ik word gezien als een alternatief testbureautje. Een eenmanszaak. Maar, ik heb het vaak bij het rechte eind. Ik wil uitwerken, Manou, wat we hebben besproken en de uitslag van de testen daarin verwerken. Ik zal je bellen als ik klaar ben. En vergeet niet je mama van me te groeten!'

Dat doet Manou. Riekje verschiet van kleur als ze begrijpt dat mevrouw Kelderman niemand anders is dan de populaire Roza Heteren. 'Aan haar heb ik nooit meer gedacht. Een meisje dat iedere jongen kon krijgen die ze wilde. Lieveling van de meesters en juffen. Voorbeeld voor ons, de klasgenoten. Nou ja, aan haar heb ik geen behoefte.'

Jammer, vindt Manou.

December brengt mist en de dagen zijn erg kort. Maar in de winkel van Emmelien is het knus. Manou is behoorlijk ingewerkt. De klanten zijn snel aan haar gewend en meer dan eens komt Ron een kijkje nemen. 'Mijn ouders willen je graag eens ontmoeten, Manou. Mijn moeder ken je al? Ze willen zien wie het wondermens is dat Emmelien uit de nood heeft geholpen. Ik kom je voor de operette-uitvoering vroeg halen en dan neem ik je na afloop even mee naar huis.'

Volgens Riekje was er in 'haar tijd' al een bloeiende operettevereniging. 'Je moet ervan houden, anders is het niets.' En meent Manou het echt dat ze met die Ron mee naar huis gaat? 'Waar is dat goed voor?' 'Nou ja, mam. Gewoon, die ouders vinden het leuk de vrienden van hun volwassen kinderen te leren kennen. Niks mis mee.'

Manou heeft niet een fantastische zangstem, maar van muziek houdt ze wel. Vooral operettemuziek is favoriet, dat heeft ze via haar vader leren waarderen.

Ze verheugt zich op de avond en zoekt met zorg een jurk uit. Als ze haar moeder en Fabian gedag komt zeggen, fluit Fabian zacht. 'Maak jij je ook zo mooi als je met mij uitgaat?' roept hij plagend.

Sinds Riekje heeft ontdekt dat zij en Fabian gemeen hebben dat ze graag scrabbelen, worden de avonden waarop Fabian niet werkt spelend in de kamer doorgebracht. Ook nu zitten ze aan tafel te spelen. Riekje klaagt dat ze de Q, de X en de Y heeft. Fabian zegt dat ze daar juist gebruik van moet maken in plaats van te klagen. 'Kijk eens naar de puntenwaarde. Niet zonder meer inruilen, Riekje.'

Manou trekt zich terug en zodra ze meent buiten een auto te horen stoppen, haast ze zich het huis uit.

Het wordt een geweldige avond. Manou vindt de uitvoering professioneel. Ron straalt. Hij is trots op zijn dorp, de bewoners en alles wat daarbij komt kijken.

Ze blijven niet napraten, maar rijden meteen door naar de woning van de familie Herwaarden.

'Hoe gaat het met je vader?' informeert Manou als ze uitstappen.

'Wachten op de uitslag. Ik heb er geen goed gevoel over. Praat er maar niet over. We doen allemaal net of er niets aan de hand is.'

Het huis is prachtig gelegen. Niet dat daar in het donker van de avond veel van te zien is, maar Manou begint het dorp en de omgeving te kennen. Achter de woning begint het te glooien en achter de akkers is de bebossing.

De woning is klassiek ingericht. Mevrouw Herwaarden begroet hen in de gang. 'Wij kennen elkaar al een beetje, is het niet? Uit de winkel. Tja, ik kan vaak en pas graag op de kleine Puckie. Ook al gaat ze een paar keer in de week naar de opvang. Welkom, Manou!'

De vader van Ron is een vrij lange man die vroeger een knappe jongen moet zijn geweest, stelt Manou vast. Dezelfde donkere ogen als Ron. Hij komt meteen vertrouwd en bekend over. Het is hem aan te zien dat hij niet goed in orde is; de huidskleur is valig en zijn bewegingen traag.

Het gesprek vlot meteen.

Mevrouw Herwaarden wil van alles over Manous achtergrond weten. Vond ze het werken bij haar vader prettig? Zou ze zulk werk weer willen doen? Ze kennen wel een verhuisbedrijf dat haar zou kunnen gebruiken. Niet in het dorp, maar in de dichtstbijzijnde stad. Maar Manou zegt eerst de uitslag van de test te willen afwachten.

Ron zorgt voor een glaasje wijn, maar drinkt zelf niet. 'Want ik moet rijden. Dat is er bij ons ingestampt, hè pa?'

Zoutjes met nootjes, waar Manou dol op is. Ja, ze voelt zich thuis bij deze mensen.

'Je moet maar gauw eens terugkomen,' stelt de vriendelijke gastvrouw voor. 'Breng je moeder gerust mee. Mijn man kent haar ook nog van vroeger, is het niet, Anton?'

'Ja ja,' zegt Anton en hij grabbelt een krant naar zich toe.

Waarop zijn vrouw lachend reageert met: 'Mijn Anton was geliefd bij de meisjes, heb ik me door mijn zwagers laten vertellen. Bovendien lagen de Herwaardens goed in de markt.'

Ze lachen, Ron het hardst. Hij roept dat dit nog het geval is.

Als Manou thuiskomt zitten Riekje en Fabian nog te scrabbelen. Ron is mee naar binnen gekomen en bemoeit zich met de woordkeus van zijn vriend, waarop Manou haar moeder te hulp schiet.

'Dit wordt een record,' stelt Fabian vast. 'Ik zal, als we klaar zijn, een foto van het bord maken, Riekje. Dan lijsten we die in.'

Als Fabian tot slot een moeilijk woord maakt met de Q, blijkt hij de winnaar. 'Eigenlijk zijn we allebei winnaars, Riekje. Zo'n hoge score als die van ons samen mag in de krant!'

Ron applaudisseert en zegt naar huis te gaan. 'Bedankt voor de gezellige avond,' zegt Manou, welgemeend. Ze loopt mee naar de voordeur en als Ron haar op beide wangen een kusje geeft, vindt ze dat niet onprettig.

Ze heeft veel om over na te denken en waar kan dat beter dan in bed?

Fabian komt en gaat wanneer het hem belieft. Dit tot ongenoegen van Riekje, die op het punt staat hem daarover te onderhouden. Net op tijd roept Manou: 'Mama, hij is een huisgenoot, een vaste bewoner van dit pand waar wij slechts te gast zijn. Je kunt hem niet als een klein jochie tot de orde roepen.'

Ja, Manou heeft wel gelijk. Maar Riekje is het zo gewend dat alles volgens háár plannen gaat. En het is toch vervelend als iemand thuiskomt en ontdekt dat er geen eten voor hem klaarstaat?

'Maar vergeleken met die Ron is Fabian veel meer volwassen. Ik hoop toch echt, Manou, dat jij je hoofd niet op hol laat brengen door de eerste de beste jongen die aardig tegen je doet. Van vroeger weet ik nog dat Anton, zijn vader, nogal berucht was als het op meisjes aankwam. Ik denk: zo vader, zo zoon!'

Manou heeft geleerd niet op deze kreten in te gaan. Je wint het met woorden toch nooit van haar moeder.

Af en toe neemt Emmelien Manou mee naar haar ouderlijk huis. 'Iedereen is er altijd welkom. Mijn ouders zijn nooit dominant geweest, zoals je zo vaak bij anderen ontdekt. En nu we alle vier volwassen zijn, behandelen ze ons en onze keuzes met respect, ook al zijn ze het niet altijd met ons eens. Alleen het gedoe rond mijn zus Margriet is een uitzondering.'

Op sinterklaasdag krijgt Manou van Emmelien een prachtige ingelijste poster voor op haar kamer. 'Of voor je toekomstige eigen huis.'

De hele familie viert feest bij opa en oma Herwaarden en de kleine Puckie is al dagen dol van spanning. 'Als je zin hebt, mag je van de partij zijn,' nodigt Emmelien gastvrij. Maar dat vindt Manou sneu voor haar moeder. Zoals alle jaren gaat sinterklaas hun zo goed als geruisloos voorbij. Vader Altena was geen feestvierder en als hij wat voor zijn vrouw kocht, werd het altijd ruilen. De broche was van zilver en had goud moeten zijn. Of het model was ouderwets.

Uiteindelijk was het Manou die voor haar vader de inkopen deed. Feest werd het nooit, meer een uitwisselen van geschenken. Daar veranderde chocolademelk en speculaas niets aan. Ook dit jaar gaat het zo. Fabian is voor een korte reis naar de bergen in Zwitserland om voor een tijdschrift een fotoreeks te maken. Er is vroeg sneeuw gevallen en daar wil hij van profiteren.

Als de avond bijna om is, verzucht Riekje dat ze ter wille van Manou thuis is gebleven. 'Ik had een leuke uitnodiging. Wat zeg ik: zelfs meerdere. Maar ja, jij bent er ook nog.'

Manou is verbijsterd. Ze reageert maar niet en zegt niet dat ze graag met Emmelien was meegegaan.

De volgende dag is het opnieuw druk in de winkel. Er zijn nogal wat mensen die hun cadeautjes of aankopen komen ruilen. Tussen de bedrijven door ruimen Emmelien en Manou, zodra ze de handen vrij hebben, de sinterklaasspullen in dozen. En aan het eind van de middag tovert Emmelien dozen met kerstartikelen tevoorschijn. Achter een verplaatsbaar rek met prentenboeken blijken knieschotten te zitten waarachter heel wat opgeborgen kan worden.

Een collega-winkelier komt even buurten. Of Emmelien al heeft gehoord dat de kaasboetiek per 1 januari stopt?

Emmelien is verbaasd. 'En dat winkeltje loopt als een trein! Wat jammer nou toch. Wat is de reden?'

Ook Manou is vaste klant van kaasboer Van Tellingen. De collega vertelt dat de vrouw van de kaasboer twee nieuwe knieën moet hebben. 'Hij zegt: nieuwe knibbels. Dat is geloof ik Fries! In ieder geval zien ze het niet zitten om door te gaan. Ze zijn beiden dan ook al over de zeventig.' Emmelien bromt dat het voor het dorp te hopen is dat er snel een ander in het leuke pandje trekt. 'Geen gezicht voor een plaats als de onze, een gesloten winkel. Afwachten maar.'

Dorpsroddels. Manou kan haar moeder elke dag verrassen met nieuwe verhalen. En vaak is het: 'O, die en die... Ik ken ze nog van vroeger.'

Vlak voor Kerst krijgt Manou telefoon van mevrouw Kelderman. Kunnen ze een afspraak maken? Riekje is enthousiast. 'Je zou weer moeten gaan studeren, Manou. Kennis is macht, zei je vader vaak. Met papiertjes kom je gemakkelijker hogerop.'

Manou hoeft niet zo nodig hogerop. Maar dat verwoordt ze niet. Ze is zo benieuwd wat mevrouw Kelderman heeft uitgedokterd.

Bij de plaatselijke bloemist koopt Manou een bos hulst, rijk voorzien van rode bessen. Dan is er nog de vraag hoe ze moet aankaarten wat ze mevrouw Kelderman schuldig is. Hopelijk begint Roza Kelderman er zelf over.

Op de afgesproken tijd fietst ze naar haar afspraak. Terwijl ze – lang – moet wachten na gebeld te hebben, kijkt ze om zich heen en stelt zich de tuin in de zomermaanden voor.

'Wat dacht je, ze hoort me niet?' informeert mevrouw Kelderman als ze de deur opent.

Manou veegt haar voeten op de mat en zegt dat ze immers op de hoogte is van mevrouws problemen.

De hulsttakken worden met vreugde geaccepteerd en of Manou zo lief wil zijn een zwarte buikvormige vaas van de kelderplank te halen?

Het gesprek loopt, net als vorige keer, als vanzelf.

Tot mevrouw Kelderman zegt dat Manou 'iets' moet doen met haar creativiteit. 'Jawel, je bent best creatief. Waar je ook geschikt voor bent, meisje, is het werk dat je nu doet. Je hebt het in de boekwinkel naar je zin, zei je vorige keer. Hoe zou je het vinden een eigen zaak te beginnen? Dat was ik ooit van plan, maar toen ik lichamelijke klachten kreeg, was het uit met de pret. Ik heb voor jou zitten denken, neem het me niet kwalijk. Dat is niet alleen mijn werk, maar ook mijn bemoeizucht.'

En ze somt op wat er zoal verkocht zou kunnen worden. Kaarsen, dingetjes voor in huis, sfeerspulletjes. Cadeautjes in de ruimste zin van het woord. Hebbedingen, benodigdheden voor in de badkamer. Luxezeep, allerhande borstels, geurtjes.

Creatief? Manou ziet in gedachten grote borduurwerken en kunstzinnige schilderijen voor zich. Nou, ze borduurt en schildert bepaald niet!

Ze luistert naar de uitslag van haar testjes. 'Zou je het aandurven een eigen zaak te beginnen, Manou?'

Een eigen zaak. Net als vroeger. Zo is haar vader ook begonnen. Ze hoort hem nog vertellen over de beginjaren ervan. Ze hadden één nogal gammele vrachtwagen. Keurig overgespoten en beletterd. Altena verhuizingen.

En vaak zei pa: 'Weet je dat ik kan terugverlangen naar die eerste jaren? Soms armoe, maar telkens weer de spanning, de hoop, de nieuwe ideeën en de moed om te investeren. Moet je nu eens zien! Ik heb veel bereikt, kan wel op mijn lauweren gaan rusten.'

Manou voelt dat ze begint te stralen. Ze knikt. Ze heeft het gezien bij haar vader, alles meegemaakt. Natuurlijk heeft ze heel wat cursussen gevolgd en diploma's behaald. Maar, zoals haar vader vaak opmerkte, het gaat bovenal om je instelling. En die is wat dát betreft in orde. Ze beschikt over een grote dosis doorzettingsvermogen. En ja, ze is creatief als het aankomt op ideeën en planning.

Mevrouw Kelderman slaat haar glimlachend gade. 'Je bent net een bloem die ontdekt dat de lente is begonnen, haar blaadjes ontvouwt en zich door de zon laat koesteren.'

Nu moet Manou lachen. Een bloem, zíj een bloem!

'Ik dacht aan thuis, ik bedoel, voor we hier kwamen wonen. Mijn vader heeft een zaak van de grond af opgebouwd. En succes gehad. Als kind was ik altijd graag bij hem in zijn kantoor en soms ging hij zelf mee op pad, als er mensen tekort waren. Heel af en toe mocht ik mee... Dat was feest. Samen met papa die nooit veel zei, maar me altijd begreep.'

Manou veegt langs haar ogen.

'Zulke relaties zijn goud waard, vooral in een kinderleven. Houd het vast, Manou! Put er moed en soms zelfs troost uit. Wat ik verder heb bedacht... Je zult me wel een bemoeial en een eigenwijze tante vinden, maar er komt hier in het dorp binnenkort een pandje vrij. Dat van de boter-, kaas- en eierenwinkel. Zo noem ik voor mezelf dat zaakje. Die mensen willen acuut stoppen, dus vragen ze vast niet de top. Als ik jou was, zou ik proberen het te bemachtigen. Een lening kun je op jouw leeftijd altijd krijgen, dacht ik zo.'

Manou vertelt openhartig dat haar vader geld op haar naam heeft vastgezet. 'Waar zou ik dat beter voor kunnen gebruiken?'

Mevrouw Kelderman zegt het pandje goed te kennen. Ze heeft vroeger namelijk een van de kinderen daar pianoles gegeven. En omdat het kind ziekelijk was, gaf ze bij uitzondering les aan huis. 'Weet je dat er een aardige bovenwoning is?'

Manou verschiet van kleur. Een eigen appartement. Maar dat zou geweldig zijn! Ze heeft immers het gevoel dat haar moeder haar dochter met opzet niet betrekt bij het zoeken naar een nieuwe woning?

'Ik popel,' bekent Manou.

Mevrouw Kelderman komt nog even terug op de testjes die ze heeft afgenomen. 'Je bent ook een type dat hard van stapel kan lopen als het doel duidelijk is! Maar wees toch op je hoede, meisje. In je enthousiasme kun je dingen die later belangrijk zijn over het hoofd zien. Ik wil geen domper op je plezier zetten, maar houd er rekening mee.'

Het is steeds vroeger donker en Manou controleert of haar fietslamp wel in orde is. Even later rijdt ze door de drukke Dorpsstraat, op zoek naar een bepaald adres.

Daarvoor moet ze op het kruispunt afslaan.

Ze ziet het bord 'Makelaar onroerend goed' meteen staan. Een ruim woonhuis staat naast dat wat ooit een winkel moet zijn geweest. Nu is er het kantoor van een makelaar in gevestigd. Natuurlijk is het de naam Herwaarden die met grote letters op het bord staat.

Achter een bureau zit een jonge vrouw, die naar haar wensen informeert. Manou komt meteen ter zake.

'Als u tijd hebt om te wachten, dan kan meneer Herwaarden u zelf te woord staan. O, daar is hij al.'

Een snelle man stapt met grote passen het kantoor binnen. Ondanks het kille weer heeft hij ter bescherming slechts een sjaal om zijn hals. Hij kijkt van de secretaresse naar de vermoedelijke cliënt en voelt blijkbaar aan dat er wat te onderhandelen valt.

Hij neemt, na zich voorgesteld te hebben, Manou mee naar zijn kantoor. 'Jij bent dus de dochter van Riekje.' Alsof hij mam door en door kent, denkt Manou geërgerd. Maar wat zeurt ze nou toch. Natuurlijk kennen die elkaar van vroeger.

Ze vertelt kort en bondig wat haar plannen zijn en informeert naar het pandje dat binnenkort vrijkomt. Of er al kapers op de kust zijn? Dirk-Peter Herwaarden laat zich niet in de kaart kijken en vertelt niet dat Manou de eerste is die belangstelling heeft. Slechte tijd voor de verkoop, zo aan het begin van de winter en bovendien gevuld met feestdagen.

Er wordt een afspraak gemaakt om te bezichtigen. 'Dan gaan we zien wat we met de prijs kunnen doen.'

Tevreden rijdt Manou naar huis en neemt zich voor Fabian te vragen of hij naar de flikkerende verlichting van de fiets wil kijken. Zelf heeft ze geen snars verstand van dat soort dingen.

Maar eenmaal thuis besluit ze dat ze een geëmancipeerde vrouw is en dus zelf zulk soort karweitjes zou moeten kunnen opknappen.

Het schuurtje is slecht verlicht, haar handen stijf van de kou. Voetstappen op het pad. Niet Fabian, maar Ron loopt fluitend op het huis af. Maar als hij licht in de schuur ziet branden, verandert hij van richting.

'Wat is er aan de hand?' vraagt hij als begroeting. Manou, die geknield bij de fiets van Fabians moeder zit, reageert: 'Het licht flikkert.'

Ron zegt de fiets én het euvel te kennen. 'Ik help je wel even. Trouwens, heb je gehoord dat Emmelien bericht van haar man heeft gekregen?'

'Nee dus.'

'Het nieuws is nog vers. Het blijkt, zo is in voorzichtige woorden verteld, dat mijn zwager Jelle een ongeluk heeft gehad. Je weet wel, op een bermmijn gereden. Er zijn twee doden te betreuren. Hoe Jelle er aan toe is, lijkt nog onduidelijk. Maar thuiskomen doet hij wel, deze week nog.'

De fiets is klaar. Ron schuift hem op de plaats en loopt voor Manou de schuur uit.

Even later is de schuur weer in het donker gehuld en gaan ze via de keukendeur naar binnen. 'Wat zou hem mankeren? Misschien mist hij een arm of een been... Ze laten je echt niet zomaar gaan. Wat een spanning!'

Ron kijkt zorgelijk.

'We zijn er als familie altijd al bang voor geweest. Jelle is een stoere vent. Het prototype van een Friese jongen. Zoals je denkt dat ze er daar allemaal uitzien. Lang, stevig, blond haar. Zelfs de wenkbrauwen zijn wit. Als je hem ziet, denk je dat hém nooit iets negatiefs kan overkomen. Zo zie je maar weer...'

Manou vindt het ellendig voor Emmelien. Vooral de spanning van het afwachten.

Riekje is nog niet thuis en de kamer is nog in het donker gehuld. 'Als jij de lampen aandoet, zet ik koffie. Ben ik aan toe.'

Ron ziet meteen dat Manou ergens vol van is. Ze straalt, ondanks het vervelende nieuws over zijn zwager.

'Wat mankeert jou?'

Het is snel verteld. Ron knikt. 'Dat zou leuk voor je zijn. Bovendien een eigen huisje! Dan ben je binnenkort echt één van ons. Een dorpeling, en Hoogwoudense.'

Dan vraagt hij wat ze denkt te gaan verkopen?

Manou somt op wat ze in gedachten voorbij heeft zien komen. Ron knikt. 'Zoiets is er in het dorp nog niet. Denk aan de toeristen die hier 's zomers komen. Herwaardens vakantiepark staat bekend als een van de toplocaties van het land. Een geluk dat jij geen Herwaarden heet, ook al zou je qua uiterlijk er best een van ons kunnen zijn. Maar nee, er komt een andere, een verse naam op je ruit. Ik zie het voor me: Manous spulletjes. Ach nee, dat klinkt van geen kant. Brikbrak... haha, mogelijkheden te over. Schrijf maar een wedstrijd uit, dan kun je kiezen!'

Manou geniet van de belangstelling. Een naam, ach, die komt vanzelf wel.

Riekje is verbijsterd. Manou die op eigen houtje plannen maakt en deze nog omzet in daden ook. 'Had je mij niet kunnen inschakelen? Twee weten meer dan één.'

Manou lacht haar moeder vierkant uit. 'Hoewel het niet de bedoeling is, mam, krijg je nu een koekje van eigen deeg. Ik wist ook niets van jouw huizenzoekerij af.'

Die zit. Riekje wuift met één handbeweging de kwestie de wereld uit. 'Jij gaat dus op jezelf wonen. Je hebt de leeftijd ervoor. Want weet je, als ik in de toekomst plannen heb om me weer te binden, dan is het niet handig een volwassen dochter in huis te hebben, als je me begrijpt. Je bent en blijft mijn dochter, maar je bent te oud voor een stiefpappie.'

Wat Manou vooral begrijpt, is dat haar moeder haar niet bewust wil kwetsen en het gevoel geven dat ze overbodig is.

Misschien zou ze in de polder uiteindelijk ook het huis zijn uitgegaan. Wat niet handig zou zijn, omdat pa en zij vaak tot laat in de avond aan het plannen waren.

Hoe of Manou Dirk-Peter vindt?

'Hij lijkt op zijn broer, de vader van Emmelien en Ron. Alleen maakt hij een meer vitale indruk. Nog zwart haar, terwijl Anton Herwaarden behoorlijk kaal is.'

Riekje perst haar lippen op elkaar. 'Dat had hij vroeger eens moeten weten. Hij was een ijdeltuit, een flirt. Iemand die dacht dat alle meiden uit het dorp verkikkerd op hem waren.'

Riekje weidt nog een tijdje uit over de Herwaardens en scheidt ze in 'goede' en 'verkeerde' types. Ongeacht tot welke categorie je hoort, als je naam Herwaarden is, gaan alle deuren voor je open. Riekje verwacht niet anders of ze mag mee met Manou om het huis en de winkel te bezichtigen. 'Dan beloof ik je dat ik je meer zal betrekken in míjn plannen.'

Manou is vol van alles wat op haar afkomt, maar in de boekwinkel houdt ze zich in. Emmelien heeft bepaald niet veel belangstelling voor wat dan ook. Want ze is nog steeds onzeker over de lichamelijke toestand van haar man. Hij is behoorlijk gewond, volgens de laatste berichtgeving. Zodra hij vervoerd mag worden, krijgt ze bericht. Waarschijnlijk nog voor de Kerst. Maar die zal hij wel in het ziekenhuis moeten doorbrengen.

Emmelien doet haar best blij te zijn voor Manou. Alsof de winkel al haar eigendom is en de bestellingen geplaatst zijn. Alles is nog vaag, een en al wens.

Samen met haar moeder rijdt Manou op de afgesproken tijd naar het centrum, met de bedoeling het huis en de winkel te bezichtigen. Riekje is zo mogelijk nog meer gespannen dan haar dochter. 'Het is voor mij net een soort monopoly, Manou. Je gooit met een dobbelsteen en hup, je staat op een plekje dat je koopt. Of juist niet... Haha!'

Tot Manous verbazing begroeten haar moeder en de makelaar elkaar met drie zoenen. Ze praten honderduit, alsof Riekje de belanghebbende is.

In de winkel hangt een sfeer van afscheid. Enkele schappen zijn leeg, de gezichten van de huidige eigenaren staan somber. Wie van beide dames is de belangstellende?

Manou doet een stap naar voren en stelt zich voor. 'Dat ben ik, Manou Altena.'

De makelaar gaat hen voor naar de bovenverdieping. Manou verschiet van kleur als ze daar rondkijkt. Het is groter en mooier dan ze gedacht had. Uitzicht over de drukke Dorpsstraat, achter kijk je door de ramen uit over achtertuinen, net als in hun huurhuis. De makelaar vertelt automatisch wat de voordelen zijn, maar Manou kan hem niet bijhouden. Leidingen die vernieuwd zijn, een uitstekende verwarmingsketel. Het huis is een halfjaar geleden vanbinnen en vanbuiten opnieuw geverfd, dat ziet mevrouw toch wel?

Manou beent door het huis. De makelaar zegt dat ze moet proberen het te zien zonder de meubels van de familie.

'Wat ik weet is dat de vloerbedekking, de gordijnen eventueel en de zonweringen overgenomen kunnen worden.'

Dat is allemaal van later zorg. Nu gaat het om de indruk, dan komt de prijs. Manou wil niet gelijk vertellen dat ze met het kopen geen problemen zal hebben. Zowel Ron als Fabian heeft haar ongevraagd advies gegeven.

Een vierkante huiskamer, twee slaapkamers en een goed onderhouden badruimte met douche en ligbad. Er is een vliering en beneden een achtertuin met ruime berging.

Terwijl Riekje met Dirk-Peter staat te flirten, loopt Manou nog eens door de kamers. Het lijkt haar vervelend voor de bewoners dat vreemden door je huis banjeren.

De heer des huizes komt een kijkje nemen. Manou informeert naar zijn vrouw. 'Ze heeft veel pijn. Het wachten is op de operatie en daarna is het revalideren. Het is niets voor haar, een bovenwoning. We hebben al wat aardigs op het oog, vlak bij de stad. Niet ver van het ziekenhuis. We zullen het werk en de contacten met de mensen wel missen, maar voorlopig zullen we druk met lijf en leden zijn, helaas.' Wat Manou van plan is met de winkel?

Ze vertelt kort van haar ideetjes en hoopt dat ze te realiseren zijn. 'Waar een wil is, meisje, is een weg. Onthoud dat! Ik kan je adviseren vooral de zomergasten in de gaten te houden. Die hebben bepaalde wensen en vaak de centen om uit te geven. Vooral als het slecht weer is, dan slenteren ze door het dorp, de beurs bij wijze van spreken wijd geopend. Natuurlijk zijn er in de grote plaatsen meer van dat soort zaken, maar hier zul je de enige zijn.'

Als alles is bekeken en nu het moment van overleggen en nadenken en rekenen is aangebroken, verlaat het kleine gezelschap de winkel. Ze krijgen als attentie een klein, feestelijk verpakt kaasje mee naar huis.

'Aardige mensen,' concludeert Manou als ze naar huis rijden. Riekje is stil.

'Wat scheelt eraan, mam?'

Riekje slaakt een zucht.

'Ik had het dorp – en ook de bewoners – anders in gedachten. Natuurlijk is het logisch dat er van alles is afgebroken en herbouwd. Maar dat de mensen zo veranderd zijn, daar heb ik niet bij stilgestaan. Ook al zei jij dat vaak. Ik zie ook wel in de spiegel dat ik geen twintig meer ben. Maar ik functioneer nog als de beste. Terwijl sommige leeftijdsgenoten overleden zijn of aan het kwakkelen... Logisch, allemaal logisch. Dat zegt mijn hoofd, mijn verstand, maar mijn gevoel wil daar niet in mee.'

Manou zegt het te begrijpen. 'Wil je het echt, mam, hier weer wonen? Je moet geen overhaaste beslissingen nemen.'

Opeens kleurt Riekje als een bellefleurtje. 'Dat doe ik ook niet. Gunst, kind, je lijkt mijn moeder wel. Voor het eerst in mijn leven moet ik zelf bepalen welke stappen ik zal nemen. Eerder was alles... voorspelbaar. Toch?'

Manou zet de wagen stil voor het huis en zegt tegen Riekje dat ze vaker over dat soort dingen moet praten. 'Niemand begrijpt je toch zo goed als ik? Misschien kan ik je helpen om bepaalde zaken nuchter te zien. Ja, we moeten elkaar tot steun zijn!'

Opeens staan ze dichter bij elkaar, moeder en dochter.

'Ik denk dat ik jóuw advies de komende dagen hard nodig heb,' zegt Manou.

Waarop Riekje, terwijl ze uitstapt, zegt: 'Ik ben er voor je. Laten we hopen dat mijn adviezen de juiste zijn.'

7

Een paar dagen voor Kerst wordt Jelle de Goede, de man van Emmelien, teruggevlogen. Hij wordt regelrecht naar het militair hospitaal gebracht. De bedoeling is dat hij zeer binnenkort naar het dichtst bij huis zijnde ziekenhuis mag.

De verwondingen zijn niet levensbedreigend, maar wel ernstig.

Bovendien ontdekt de familie al na het eerste bezoek dat hij psychisch een zware knauw heeft gehad.

Het is een wonder, vertelt Emmelien aan Manou, dat zijn rechterbeen niet is geamputeerd. 'Nou ja', eindigt ze wrang, 'dat betekent wél dat ik hem voorlopig en lang daarna thuis heb. Maar of dat een pretje is, weet ik niet. Iemand met zijn soort karakter wil maar één ding: doen waarvoor hij is opgeleid.'

Later vult Ron aan: 'En nu maar hopen dat hun huwelijk standhoudt. Zolang Jelle geregeld voor lange tijd van huis was, ging alles prima. Het was óf naar het oorlogsgebied, óf bezig met voorbereidingen.'

Manou denkt bij zichzelf: liever alleen door het leven dan een gecompliceerde relatie hebben.

Jelle is niet de enige van de familie met wie het niet goed gaat. Anton Herwaardens toestand is verre van goed. Over wat hij precies mankeert, laat de familie zo min mogelijk los, maar Manou gaat ervanuit dat zijn klachten psychisch zijn. En dat is niet verwonderlijk, vindt ze, want de berichten die ze krijgen over hun dochter die het contact heeft verbroken, zijn verre van positief. Er is iets met het bloed van Margriet aan de hand.

Manou leeft met hen mee, maar ze is meer bezig met haar eigen toekomst. Ze krijgt van allerlei onverwachte kanten adviezen. Adressen waar ze kan inkopen, data wanneer er beurzen zijn voor haar branche.

Fabian heeft een uitgebreide kennissenkring en via via komt hij telkens weer met nieuws of nieuwe ideetjes aandragen.

Fabian, de onverwachte huisgenoot, is bijna niet meer uit het leven van Riekje en haar dochter weg te denken.

Zo komt hij vlak voor Kerst aansjouwen met een nogal fors uitgevallen dennenboom. Waar hij die vandaan heeft?

'Stond bij Alex Moerman in de tuin en omdat hij in het voorjaar daar de boel wil omgooien – of verhuizen – bedacht hij dat er misschien iemand blij gemaakt kon worden met de kerstboom. Hij dacht meteen aan jullie en of ik hem even wilde brengen. Nou, alsjeblieft! Het is me het vrachtje wel.'

Een heuse boom, geurend en prachtig van vorm. 'Jammer,' vindt Manou, maar Riekje is er blij mee. 'We hebben thuis op zolder nog een namaakboom. Maar ik was niet van plan speciaal voor die boom naar de polder te gaan.'

Samen met Fabian wordt er een kruis voor onder de boom gefabriceerd en de volgende dag koopt Riekje dozen vol versiersels. Manou denkt: 'En dat alles zonder pa. De eerste Kerst zonder hem...'

Al vanaf half december brengt de post dagelijks een stapel kaarten. En brieven in de geest van: 'Jullie zullen het wel moeilijk hebben, Kerst zonder man en vader...'

Riekje haalt haar schouders op en wil er niet over praten.

Dat verandert toch niets aan de situatie?

Het is Manou die kaarten schrijft en ze post. Kaarten uit de boekwinkel van Emmelien, die ze met flinke korting heeft gekocht.

Op de dagen dat Emmelien bij haar man op bezoek gaat, neemt Manou de zaken waar en dat gaat haar prima af. Af en toe komt Ron haar halen om samen in het dorpscafé wat te drinken. Op die manier leert Manou de kennissen van Ron kennen en al snel is ze een van hen.

'We rekenen erop, Manou, dat je op ons Nieuwjaarsfeest komt!' zegt Ron als hij haar op een avond thuis afzet.

Hij vertelt dat de familie Herwaarden traditiegetrouw 1 januari bij elkaar komt. Maar ook intieme vrienden zijn welkom. 'We zijn met zoveel, dat het ondoenlijk is om iedereen persoonlijk gelukkig Nieuwjaar toe te wensen. Zo is de traditie ontstaan en reken maar dat het telkens weer leuk is iedereen weer te zien. Of er rouw of geboorten zijn, de bijeenkomst gaat door!'

Riekje weet later te vertellen dat de familietraditie in haar tijd is ontstaan. Ze is zelf weleens uitgenodigd. 'Door wie dan, mam?' Maar daar laat Riekje zich niet over uit.

In de boekwinkel is het tot kerstavond behoorlijk druk. Als Emmelien eindelijk de winkeldeur op slot draait, zucht ze diep. 'Ik heb het helemaal gehad. Dat is ieder jaar weer dezelfde klacht van winkeliers. Wacht maar tot jij volgend jaar je shop hebt.'

Manou zegt zich erop te zullen voorbereiden.

Ze helpt Emmelien met het opruimen van alles wat is blijven liggen doordat klanten hun aandacht opeisten.

Puckie loopt in de weg, gaat in grote dozen zitten en maakt vlekken op prentenboeken. Emmelien dreigt dat als ze niet beter luistert naar mama, ze niet mee mag naar papa!

'Wil ik toch ook niet. Bah, papa is ingepakt. Ziekenhuis is bah!'

Gelijk heeft ze, vinden haar moeder en Manou.

Vlak voor Manou naar huis gaat, duwt Emmelien haar een doos in de handen. 'Een kerstpakket voor jou. Maak thuis maar open.'

Thuis wacht Riekje, die bezoek heeft van Alex Moerman. Als Manou hem in het dorp ziet, groet hij haar altijd vriendelijk terwijl zij zich afvraagt of hij hele sokken aanheeft.

De lichtjes van de boom zijn aan, hun licht weerkaatst in de vele versiersels.

Alex zit in een stoel alsof hij er thuishoort. Hij is vol belangstelling naar de winkelplannen van Manou. Wanneer is de overdracht? En heeft de makelaar nog wat van de prijs af weten te krijgen? Heeft ze al een businessplan?

Manou vertelt maar al te graag over de vorderingen. 'Als ik ergens mee van dienst kan zijn, hoef je maar te kikken, meisje. Heb je alles bij de bank rond kunnen krijgen?'

Riekje zit er stilletjes bij en kijkt verguld van de een naar de ander. En opeens weet Manou het zeker: haar moeder is verliefd. Waarschijnlijk is dat ook met Alex Moerman het geval.

Een nieuwe man in huis. Op de plaats van haar vader. Het is wennen. Manou geneert zich voor 'wat de mensen zullen zeggen'. Zo kort na de dood van je man een nieuwe relatie aangaan! Eén ding weet ze zeker: als Alex bij hen in huis komt wonen, is zij weg.

De kerstdagen verlopen zoals verwacht. Kerkgang, bezoek ontvangen en zelf op visite gaan. Thuis de geur van gebraden vlees en appelgebak. Cd's met 'gouwe ouwe' kerstliederen. Vroeg donker, de hele dag branden de kaarsen en buiten is het rond het vriespunt...
Manou mist haar vader meer dan ze durft bekennen. Naast haar bed staat een foto van hem, een uitvergrote pasfoto.
Ze houdt zich voor dat pa nu gelukkiger is dan op aarde. Alleen is het zo moeilijk zich een voorstelling te maken van de hemel, het paradijs. Het menselijk denken schiet schromelijk tekort en ze leert zien dat ze moet proberen geestelijk te denken.
Fabian is toch vlak voor de feestdagen op reis gegaan, richting Spanje, naar zijn ouders. 'Ik denk dat ze vergeten zijn dat ze een zoon hebben.'
Manou vraagt zich af hoe een ouder-kindrelatie zo in het slop kan raken dat je amper naar elkaar omziet. Zover zal ze het zelf niet en nooit laten komen!
Na de Kerst treft ze in de boekhandel een bedroefde Emmelien aan. Het gaat niet goed met Jelle.
'Hij werkt niet mee! Dat zeggen zijn artsen. Zodra de koorts weg is, mag hij vervoerd worden. Ik houd dat heen en weer rijden bijna niet vol. Dankzij jou kan ik er uitbreken. En dan de spanning wat betreft mijn vader. We zijn zo bang dat onze Margriet zieker is dan verwacht. Het woord leukemie is gevallen. Kwam ze maar thuis!'
Verdrietige berichten, zo op het eind van het jaar.
Gelukkig is er werk genoeg. Kerstkaarten terugdoen in dozen, een

rekje met alleen een nieuwjaarsgroet blijft nog even staan. Emmelien wil nog niet alle versiering weghalen. 'Dat kan na Nieuwjaar ook nog.'

Op de dag dat de familie Herwaarden te horen krijgt dat hun vrees bewaarheid wordt wat betreft de ziekte van hun geliefde oudste dochter en zus, heeft Manou een afspraak bij de notaris en de familie Van Tellingen, de mensen uit de kaaswinkel.

'Eigenlijk werk ik niet, tussen Kerst en Nieuwjaar, maar de eigenaren wilden erg graag alles voor het nieuwe jaar afgewikkeld hebben.'

Manou is het daarmee gloeiend eens. Riekje is met haar meegegaan en als de notaris haar ziet, is hij verrast: 'Als dat Riekje niet is. Meisje, jij bent eh... groot geworden!'

Riekje plaagt terug. 'Jij bent niet meer zo mager als vroeger!' Waarop de notaris zo hard lacht dat zijn buik schudt. En weer de vraag waarom ze nooit terug in het dorp is geweest, waarom nu pas, na zoveel jaar?

Een pasklaar antwoord op die vraag krijgt niemand...

Het echtpaar uit het kaaswinkeltje nodigt moeder en dochter uit om te praten over spullen die eventueel overgenomen kunnen worden.

Het officiële gedeelte stelt niet veel voor, terwijl Manou had gedacht dat ze van opwinding haar hoofd er niet bij zou kunnen houden.

'Nu zit je in zaken, net als voorheen.'

Voor hen rijdt de familie Van Tellingen. 'Wat zou er door hen heen gaan?' vraagt Manou zich af. Ze bekijkt het smalle pand, dat tussen twee grotere zaken is ingeklemd, met andere ogen dan voorheen.

'Het tegenovergestelde van wat jij denkt,' meent haar moeder. Om er meteen aan toe te voegen: 'Wat loopt zij ontzettend slecht. Hoe komt ze de trappen van haar huis op?'

Heel, heel moeilijk, ontdekken ze even later. 'We waren van plan een lift te laten plaatsen, voor we besloten te verkopen,' zegt meneer Van Tellingen als hij zijn vrouw bij het naar boven gaan ondersteunt. 'Iedere stap is een kwelling.'

Als ze alle vier boven zijn, staan bij mevrouw Van Tellingen de tranen in de ogen. 'Als die operatie maar eenmaal achter de rug is, dan kan ik vooruitzien.'

Riekje schiet meneer Van Tellingen te hulp als hij thee gaat zetten.

Manou vraagt schuchter of het moeilijk is om te verhuizen, alles achter te laten. Mevrouw Van Tellingen schudt haar hoofd. 'Niet meer, niet meer. Als je beseft dat er geen andere mogelijkheid is, legt een mens zich bij de situatie neer. Het is voor mijn man allemaal veel te veel geweest. Ik kon steeds minder. Nee, alleen al om hem een rustige oude dag te bezorgen, stemde ik gelijk in met het voorstel om ons terug te trekken. Er is een tijd van komen en een tijd van gaan, nietwaar? Nu is de beurt aan jou, meisje.'

Manou kijkt de knusse kamer rond. Voor het raam staat een klein kunstkerstboompje. En op tafel een schaaltje met chocoladekransjes. Dat is het enige dat verwijst naar de feestdagen.

Tijdens het theedrinken brengt meneer Van Tellingen het gesprek in zakelijke richting. Wat wil Manou overnemen? Of gewoon krijgen? De vloerbedekking is vrij nieuw, maar toch willen ze daar niets voor vragen. 'Je kunt zien dat we meer beneden zijn geweest dan boven... Altijd werken!'

De zonweringen mogen wel vergoed worden. Daar liggen zelfs de rekeningen nog van bij de administratie, zodat Manou kan zien wat ze gekost hebben.

'Je zult nog wel niets hebben voor de keuken en ik heb te veel pannen en potten. Straks zullen we zien wat jij wilt hebben. En serviesgoed... Mijn kasten puilen uit. Van alles geërfd van onze moeders. Je mag kiezen. Kip-en-haanservies, boerenbont... Dat was van mijn schoonmoeder. Compleet zijn de serviezen niet meer, maar je kunt er nog van alles bijkopen. En zullen we de gordijnen laten hangen? Al gebruik je ze maar tijdelijk. Je zult tijd en geld nodig hebben om alles naar je eigen zin in te richten.'

Manou is blij met alles dat wordt aangeboden.

Later komt het gesprek op de opgravingen bij de kloosterplaats. Over twee weken is het over en uit, dan wordt met de bouw van nieuwe woningen en winkels begonnen. Meneer Van Tellingen gniffelt alsof hij leedvermaak heeft: 'En wat hebben ze nou helemaal gevonden? Zo goed als niets. Potscherven, witte tabakspijpjes, stukken muur. Niet de moeite.'

Het is op deze bewolkte dag vroeg donker, de straatverlichting is al aan als Manou en Riekje vertrekken.

Manou heeft beloofd vlak voor de Van Tellingens vertrekken langs te komen om zelf in te pakken wat ze mag hebben.

'Hoe voel jij je nu?' informeert Riekje als ze naar huis rijden.

'Vreemd. Bezorgd ook. Kan ik het wel aan? Dat soort gedachten spoken door mijn hoofd. Heb ik zakentalent genoeg? Maar ja, papa zei altijd dat ik op hem leek, dus dat moet wel goedkomen.' Riekje geeft een dot gas om slingerende fietsers te passeren.

'Wie weet zit in míjn familie zakentalent. In elk geval heb jij ervaring genoeg. Eigenlijk moeten we het vieren, Manou. Zullen we in het hotel gaan eten?'

Topidee, vindt Manou.

'Ik ben nu een echte dorpeling, mam. Ik hoor erbij!'

Riekje parkeert de auto tussen twee andere wagens. Dan kijkt ze Manou aan. Ze kunnen elkaars ogen in het licht van de lantaarns maar net zien.

'Jij, Manou, maar ik ook! Ik zou zeggen: welkom in mijn geboorteplaats.'

Zo vlak voor het nieuwe jaar is het in de boekwinkel rustig. Emmelien bezoekt geregeld haar man en dat is de reden dat ze de hulp van Manou hard nodig heeft. Ze heeft in een kleine zijkamer van het huis een bed voor Jelle laten plaatsen. Enerzijds verlangt ze naar zijn thuiskomst, maar aan de andere kant vreest ze zijn depressies. 'Die man ís soldaat. Wat moet hij in de maatschappij beginnen?' klaagt ze meerdere keren.

Manou heeft daar geen antwoorden op. Ze weet niets te zeggen en kan alleen maar een vriendin zijn.

Dagelijks fietst Manou langs haar eigen winkel. Zal het haar lukken? Met Ron heeft ze afgesproken in januari een beurs te bezoeken. Hij zegt een paar relaties te hebben die haar verder kunnen helpen en de weg wijzen in 'inkoopland'. Ook heeft hij voorgesteld samen uitstapjes te maken om winkeltjes in andere plaatsen te bezoeken. Hij weet er een paar in Utrecht te vinden, maar ook in Amsterdam. En een vriendin van zijn moeder heeft een zaakje in Haarlem. Allemaal dingen om naar uit te kijken. Maar ook is hij behulpzaam met het regelen van alles wat officieel nodig is bij het starten van een eigen onderneming.

Zo nadert oudejaarsdag. In het dorp wordt al flink met vuurwerk geknald.

Of Manou het heel erg vindt, informeert Riekje, als ze haar op oudejaarsavond alleen laat. Alex Moerman heeft haar gevraagd te komen. 'Er komen een paar familieleden van hem en hij vond het leuk me aan hen voor te stellen. Het zijn allemaal mensen van mijn leeftijd, dus ik zei dat jij vast liever je heil ergens anders zou zoeken. Dat is toch zo?'

Manou vraagt zich af waar dat 'ergens anders' dan wel mag zijn. Maar ze zegt dat het prima is.

De winkel wordt vroeg gesloten en meteen daarna is Emmelien vertrokken. Ook Manou gaat naar huis. Op de tafel in de keuken staat een schaal met gekochte oliebollen. 'Je snoept er maar van. Ik voel me echt een beetje schuldig jou alleen achter te laten,' zegt Riekje.

'Ik ga lezen, mam. Dik boek uit de winkel, vers van de pers. Bovendien zijn er op de tv een paar leuke uitzendingen. Over mij hoef je niet in te zitten.'

Alex komt Riekje halen en Manou, die de auto nakijkt, vraagt zich af in welk stadium hun vriendschap is.

Op een avond als deze komt er veel op haar af. Even is het of haar vader nog maar net is heengegaan. En dat doet pijn. Net als ze zich met een boek wil installeren, gaat de bel. Buurvrouw Ietje de Greef komt vragen of ze een uurtje (of langer) op bezoek wil komen. Jobs broers zijn er en een stel uit het dorp dat Manou wel willen leren kennen.

Manou wil wel een uurtje, maar niet langer. Ze had zich juist ingesteld op een rustige avond voor zichzelf.

Jobs broers zijn vrijgezel en al snel ontdekt Manou wat de reden van de uitnodiging is...

Het lijkt het gezelschap oprecht te spijten als ze even na negenen teruggaat naar huis. 'We zijn er morgen ook nog!' roept de oudste broer.

Thuisgekomen sluit Manou de overgordijnen. Het is buiten rumoerig. Heel wat anders dan dat in de polder het geval was. Hoe zou ze volgend jaar oudejaar vieren?

In plaats van te lezen droomt Manou weg en als ze vlak voor twaalf uur een sleutel in het slot hoort draaien, schrikt ze op. Mama terug voor klokke twaalf?

Maar het is Fabian die grijnzend de kamer binnenstapt en een scheut koude lucht meebrengt. 'Ik dacht: kom, ik laat mijn vriendinnetjes met de jaarwisseling niet alleen.'

Dat Riekje niet thuis is, deert hem niet. Hij eet met graagte van de oliebollen, duikt in zijn vaders voorraadkast en komt met een dure fles terug. 'Toestemming van vader zelf!'

Manou is benieuwd hoe zijn korte vakantie is geweest. Lachend doet hij verslag. Mensen van zijn ouders' leeftijd vormen daar een clan. Ze dineren samen, bridgen of klaverjassen, kuieren langs de boulevard en ontmoeten elkaar in de café's. 'Elke dag hetzelfde. En als er een stel vertrekt, komt er een dito paar terug. Langs de kust staan rijen campers achter elkaar als circuswagens. Allemaal naar de zon.'

Manou moet lachen om de manier waarop Fabian zijn verslag doet. 'Waren je ouders niet verrast je te zien?' Dat wel. Maar helaas, legt hij uit, is er niet veel dat hen bindt.

Jawel, het huwelijk is goed te noemen. 'Ze houden allebei evenveel van háár. Als je begrijpt wat ik bedoel. Genoeg erover!'

De torenklok slaat twaalf keer en Fabian weet te vertellen dat deze al zolang hij zich kan herinneren een paar minuten voorloopt.

Klokke twaalf heft Fabian zijn glas en klinkt met dat van Manou. 'Een heel gelukkig Nieuwjaar, Manou. Dat al je wensen vervuld mogen worden.' Hij zet zijn glas op tafel en trekt Manou even naar zich toe om haar te kussen.

Het is bepaald geen gelukwenszoentje. Hij drukt zijn mond op de hare, wacht tot ze reageert. Even later stamelt Manou: 'Nou ja, van hetzelfde dan maar,' waarop Fabian net doet alsof ze om een herhaling van de kus vraagt. Ze duwt hem met zachte hand van zich weg en roept: 'Ik bedoel de gelukwensen!' Een roffel op het raam. De broers van buurman Job de Greef doen een poging Manou buiten te krijgen.

'Ach, zit dat zo!' roept Fabian, die een gelukwens door een kier van de voordeur roept en in de kamer de meeste lampen uitknipt.

'Kom mee naar boven,' stelt hij voor. Manou verstijft. Wat bedoelt hij?

'Zolang ik me kan herinneren keken we naar het vuurwerk vanuit de kamer van mijn ouders.' Hij trekt Manou mee, de trap op en ze kan er niets aan doen dat het hart haar in de keel klopt. Maar dat is voor niets, want Fabian wil echt niets anders dan met een arm om haar schouders samen naar het spektakel kijken.

Buiten stopt een auto. Riekje wordt door Alex uit de auto geholpen. 'Kan ze dat zelf niet meer?' vraagt Fabian zich verbaasd af. Ze zien hoe de twee zich aan elkaar vastklampen. En kussen. Fabian lacht zacht. 'Aha!'

Achter elkaar stommelen ze naar beneden en als Manou de voordeur voor haar moeder opent, ziet ze aan haar gezicht dat er een belangrijk besluit is genomen. Riekje begroet Fabian overdreven hartelijk om zo de aandacht van zichzelf af te houden.

Later dan op een normale avond kruipt Manou in bed. Ze vindt het overdreven van zichzelf dat ze telkens aan de mond van Fabian moet denken. Als het Ron was geweest die haar had gezoend, zou ze zich dan net zo opgewonden voelen? Ze weet zeker dat Ron een vrouw zonder reden nooit op die manier zou kussen. Fabian dus wel. Waarschijnlijk een natuurlijke behoefte, denkt ze wrang.

De volgende dag komen er al vroeg kinderen aan de deur om gelukkig Nieuwjaar te wensen. Ook buurvrouw Bettie Samuëls staat op de stoep. Ze klaagt over de saaie oudejaarsavond. Ze is nog even naar het tehuis geweest waar haar man verpleegd wordt, maar dat was niets. Feestelijkheden die langs de bewoners heen gingen. 'Triest!' klaagt ze.

Riekje zegt dat Bettie maar eens vaker aan moet komen. Waarop de buurvrouw schampert: 'Ja, wanneer ben je eigenlijk thuis?'

Als Manou door het raam buurvrouw Ietje met haar man ziet aankomen, plus de broers, zegt ze tegen haar moeder even naar mevrouw Kelderman te willen gaan.

Zo lukt het haar om het kliekje te ontlopen. Mevrouw Kelderman heeft ook al niet te klagen over belangstelling. Haar kamer zit vol mensen die Manou niet kent, en na een paar hartelijke woorden is ze snel weer vertrokken. Ze rijdt op haar fiets door het dorp, ergert zich aan de rommel die de vuurwerkaanstekers hebben gemaakt en niet opgeruimd. Kinderen spelen met de resten...

Thuis blijkt de rust weer teruggekeerd. Riekje zit te schemeren; het is een dag waarop het maar niet licht wil worden. Ze zegt dat ze Manou iets moet vertellen.

'Ik kan het wel raden, mama. Je wilt me vertellen dat je een vriend hebt.'

Riekje kruipt diep weg in de stoel die te groot voor haar lijkt. 'Ja. Een onverwacht geluk is mijn deel geworden. Jij zult me misschien verwijten dat het veel te vlug na de dood van je vader is, maar je moet weten...' Ze stopt, tuurt naar buiten waar nog steeds veel verkeer door de Kloosterdwarsstraat rijdt.

'Ach, dat doet er ook niet toe. Laat ik het zo zeggen: ik heb voor het eerst in meer dan twintig jaar het gevoel alsof ik lééf! Alex begrijpt mij zo goed en houdt rekening met mij. Dat is een aparte sensatie.'

Die woorden steken. Hield de trouwe Ruud dan geen rekening met Riekje? Hij werkte zo hard om Riekje alles en meer te geven van wat ze nodig had. Het was vaak, denkt Manou: 'Gauw kind, mama wacht! We hebben al zo lang doorgewerkt vandaag...'

'Ik hoop dat je niet teleurgesteld wordt, mam. En hoe gaat dat met het huis dat je op het oog had?'

Daar zijn ze nog niet uit.

'Je weet dat Alex een mooie woning heeft. Maar, zegt hij, het is misschien beter dat we samen ergens opnieuw beginnen. Gelukkig wil hij het dorp niet uit. Morgen maakt hij een afspraak met Dirk-Peter Herwaarden. Zien wat er zoal te koop is dat vergelijkbaar is met zijn huis. Samen kunnen we meer besteden. En ja, we willen het allemaal voor Pasen rond hebben, want dan komt de familie Goossen terug.'

Tjonge, schrikt Manou. Met Pasen is pa nog geen jaar overleden.

'Op onze leeftijd moet je niet te lang meer wachten met beslissingen nemen.' Manou knikt. Nu doet mam opeens of ze dertig jaar ouder is.

Fabian komt binnen en zegt dat het buiten kouder aan het worden is. Hij heeft met Ron nog wat vuurwerk afgestoken.

'Kind ben je toch nog,' lacht Riekje.

'Het is niet best met Anton Herwaarden. Morgen wordt hij opgenomen, maar het familiefeest gaat gewoon door. De ziekte van Margriet wordt ook al stilgehouden, het lijkt of ze zich schamen voor het feit dat er ruzie in de familie is.'

Zoiets kan Manou zich niet voorstellen.

Riekje verdedigt het standpunt. 'Er zijn afspraken gemaakt, van alles en nog wat besteld. Sommige familieleden komen van heinde en ver. Ik bedoel maar.'

Fabian knikt en zegt dat er inderdaad uit alle hoeken van het land familie komt. 'Plus de nodige vrienden. Jij bent toch ook genodigd?' Manou knikt.

Ze worden opgeschrikt door een enorme knal. Als ze naar buiten kijken zien ze een stel jongens de straat uit rennen. Midden op het grasveldje in de voortuin smeult een restje vuurwerk. Fabian gaat kijken, met Manou op zijn hielen. 'Gevaarlijk, wat van die rotjes aan elkaar gebonden en in de fik gestoken. In een soort pot. Of een pan.' Opeens duikt hij omlaag. 'Als dat niet uit de opgraving komt, eet ik mijn schoenen op.' Hij peutert met een stokje in de resten en wordt met de seconde enthousiaster.

'Hoe weet je dat nu?' informeert Manou.

Fabian richt zich op. 'Omdat ik op een foto heb gezien wat we vermoedelijk zouden kunnen vinden. Dat is lachen. Ik bel gelijk Alex!' Manou sloft achter hem naar binnen. 'Zal mijn moeder blij mee zijn...' mompelt ze.

En inderdaad, even later blijkt Fabians vermoeden juist. Alex is enthousiast. 'Die blagen hebben zich niets van het hekwerk aangetrokken. Hoe konden zij iets als dit vinden en de archeologen niet?' Fabian lacht en zegt dat de jongens waarschijnlijk minder behoedzaam bezig zijn geweest. Een ijzeren pot, hier en daar beschadigd door de tand des tijds, maar tegen het vuurwerk was hij bestand. Alex zegt niet te kunnen wachten tot de nieuwe dag om door te gaan met graven.

Het gevonden voorwerp wordt met zorg behandeld, maar mag van Riekje beslist niet in de keuken opgeslagen worden. 'Leg dat vieze ding alsjeblieft in de schuur!'

Later op de avond maken Alex en Riekje een wandeling, richting kloosterplaats. Om te zien of de hekken wel goed zijn afgesloten. Wie weet lopen er gelukzoekers te rommelen.

Manou ziet hen gearmd over het trottoir lopen en trekt de overgordijnen met een ruk dicht.

Fabian schudt zijn hoofd. 'Ben je niet blij met je nieuwe pappie?'

De tranen springen Manou in de ogen. 'Als jij mijn vader had gekend, zou je zoiets niet gezegd hebben. Bah!'

'Sorry, sorry! Ik vergelijk alle vaders nu eenmaal met die van mezelf.'

Manou heeft geen zin in wat voor discussie dan ook. Ze zoekt boven haar heil, achter de computer. Op zoek naar adressen, naar ideeën voor haar winkeltje. Misschien krijgt ze hier of daar inspiratie voor de naam.

Langzaamaan komt ze tot rust.

Riekje en Alex zakken naar de achtergrond. En als ze hoort dat Fabian het huis verlaat, is ze blij alleen in het pand te zijn.

Ze concentreert zich op wat ze vindt en al snel is ze iedereen en alles vergeten, behalve haar eigen plannen voor de toekomst.

8

NATUURLIJK IS DE ZIEKTE VAN ANTON HERWAARDEN EEN DOMPER OP het familiefeest. Net als de afwezigheid van Margriet. Maar zelfs zijn vrouw, Narda, peinst er niet over weg te blijven.

'Jullie lijken wel een zigeunerfamilie, zo hecht. Ik heb weleens gehoord, Ron, dat zigeuners op hoogtijdagen van heinde en ver komen om bij elkaar te zijn.'

Samen met Ron loopt Manou naar hotel Herwaarden waar het feest al in volle gang is.

'Nu kun je ook mijn zus Hanna en haar man Jim leren kennen,' zegt Ron tevreden als hij Manou uit haar jas helpt en ze samen naar de garderobe lopen. Daar treffen ze ook Emmelien, die met een opgewonden Puckie in de weer is. 'Jas moet uit, Puckie. Ik weet dat hij erg, erg mooi is. Maar binnen is het veel te warm voor een jas. Als je straks naar huis gaat, mag je hem even in de zaal aan de mensen laten zien.'

Puckie stribbelt tegen en Emmelien klaagt dat dit al zo is sinds Jelle weer in het land is. 'Aandacht, dat is het wat ze wil. Enfin, die kan ze zometeen volop krijgen.'

Hanna lijkt op haar zus Emmelien, maar de haarkleur is natuurlijk.

'Je hebt een leuke familie,' zegt Manou jaloers. 'Zie mij nou, enig kind. Eigenlijk niet leuk.'

In de zaal is het een geroezemoes van belang. Manou herkent enkele dorpsbewoners, zoals de makelaar, de bakker en de hovenier.

De mensen zitten in groepjes bij elkaar en soms is het of ze het oude spelletje 'boompje verwisselen' doen. Dan loopt men van het ene tafeltje naar het andere, zoekt een lege stoel en praat meteen mee.

Na een halfuurtje vraagt de makelaar, Dirk-Peter, het woord. Hij begroet de aanwezigen, familie en hun vrienden. Wenst hun een gezegend nieuw levensjaar toe. Ook worden de namen genoemd van een paar overleden Herwaardens. Maar ook die van de nieuwgeborenen! Natuurlijk worden de zieken niet vergeten, onder wie Anton Herwaarden. Ook de namen van de andere afwezige familieleden worden genoemd, waaronder Margriet.

Na de korte toespraak worden de gesprekken hervat en brengen de obers in plaats van koffie en thee, drankjes en de onvermijdelijke bitterballen en schaaltjes met zoutjes.

Ron laat Manou bij Emmelien achter, zelf moet hij even 'de ronde doen'.

Emmelien wordt al snel meegetroond door haar zus Hanna, die haar aan vrienden wil voorstellen.

Manou snoept in haar eentje van de zoutjes en voelt zich wonderwel thuis in het gezelschap.

Opeens komt er een dame van middelbare leeftijd bij haar staan, pakt een stoel en informeert 'van wie zíj er eentje is?'

'Pardon?' zegt Manou niet-begrijpend. De keurig uitziende vrouw verschikt wat aan haar donkere haar waar een paar grijze slieren doorheen geweven zijn.

'Ik ben tante Louise. En ik dacht alle Herwaardens te kennen. Maar jou kan ik niet thuisbrengen! Je lijkt op mijn kleindochter, maar niet helemaal. Alleen zo op het eerste gezicht. En ja, je hebt ook wel wat weg van Hanna van Anton en Narda. Sneu dat Anton ziek is. Ik hoop maar dat hij snel weer beter wordt. Maar nu weet ik nog niet wie jij bent?'

Tante Louise.

Manou noemt haar naam, die tante niets zegt. 'Je hoort dus niet bij de familie? Kom, je houdt me voor de mal!'

Ron komt aanlopen en zegt plagend dat de hele familie tante Louise vreest. 'Ze kan je met woorden uitkleden, is het niet, tante? Maar geloof me, deze Manou is nieuw in het theater. Ze woont sinds kort in het dorp en heeft bij mijn weten geen familiebanden hier.'

Louise kijkt ongelovig.

'Altena? Die naam zegt me hoegenaamd niets.' Manou blijft lachen. Tante Louise is een leuke vrouw zonder remmingen.

'En je moeder?'

'Die is wel van hier. In het dorp geboren en getogen. Pas na haar huwelijk is ze hier vertrokken.'

'Hoe heet je moeder dan van zichzelf?'

Rons bruine ogen stralen van ingehouden pret. Tante Louise rust niet voor ze Manous doopceel heeft gelicht.

'Mijn moeder heet Riekje Brinkgreve.'

Louise klapt in haar mollige handen, haar vele ringen glinsteren in het lamplicht. 'Brinkgreve! Dinanda en Hubert! Je oma vond Dinanda een te lange naam en noemde zich Diny. Jawel, hen heb ik goed gekend, hoor. Ook al waren ze een stuk ouder dan ik. Je oma was een geweldig mens. En je opa was bijna getrouwd met de kerk. Zat in alle commissies of was ouderling. Als je kerk zei, dan riep je meteen Brinkgreve!'

Het is Manou vreemd te moede om over haar grootouders te horen spreken. Ze heeft ze niet goed genoeg gekend omdat ze zelf nog jong was toen beiden zijn gestorven.

Louise heeft een bron aangeboord en ratelt door. Strooit met namen en gebeurtenissen.

Manou vraagt zich af hoe ze zich van deze hartelijke vrouw kan losmaken. Ron heeft plezier en stimuleert zijn tante.

Tot een heer in driedelig pak haar roept. 'Louise, schat, ik kon je nergens vinden. Je hebt je eigen zusters nog niet begroet!'

Louise hijst zich – met spijt – overeind. Ze geeft Manou een hand en zegt: 'Toch moet er ergens een draadje van de familie naar jou lopen.' Ze recht haar rug, gooit een bonte sjaal elegant over een schouder en steekt haar arm door die van haar man.

'Wat een type,' zucht Manou. Ron is bijna uitgelachen. 'Straks beweert ze nog dat je een nichtje van me bent.'

Later op de avond merkt Manou dat meer mensen met verbaasde belangstelling naar haar kijken. Waarop Ron plagend zegt: 'Als er iemand te nieuwsgierig wordt, Manou, dan zeg je gewoon dat je er een van de Groningse tak bent. Dat is namelijk een afdeling die zich

slechts bij uitzondering laat zien. Kun je alle kanten mee op.'
'Wat maakt het uit. Ron, ik voel me tussen jouw familie in ieder geval thuis.'

Manou doet thuis in geuren en kleuren verslag. 'Tante Louise! Natuurlijk ken ik die. Ze heeft een geheugen als ik weet niet wat. En kennen doet ze iedereen. Lieve help, volgens haar lijk jij dus op de Herwaardens. Had mevrouw daar ook een verklaring voor?'
Manou is verbaasd over de felheid waarmee haar moeder spreekt.
'Ach nee, waarom zou ze? Ron zei dat ik maar moest zeggen dat ik er een van de Groningse tak was.'
Riekje gromt. 'Ik heb toch liever dat jij je niet te veel met die familie inlaat.'
Manou protesteert. 'Mama, dan had je maar niet hier naartoe moeten gaan. De Herwaardens zijn niet te ontlopen. Ze hebben overal een vinger in de pap. Je had moeten zien hoeveel familie ze hebben.'
Riekje zegt daar alles van te weten.
'Is er nog nieuws over Anton, de vader van Ron?' Manou vertelt wat haar ter ore is gekomen. 'Ik heb ook kennisgemaakt met de andere zus van Ron, Hanna. Ze lijkt inderdaad wel een beetje op mij. Hetzelfde slappe, bruine haar. Ze is ook niet zo ijdel als Emmelien. Nou ja, ijdel... Emmelien doet meer aan haar uiterlijk, zo bedoel ik het. Ze kunnen het goed met elkaar vinden. Ik wilde dat ik ook broers of zussen had. Ron is erg op die twee meiden gesteld. En dan heeft hij nog een zus, die Margriet. Ze schijnt echt ernstig ziek te zijn.'
Riekje loopt nerveus door de kamer. Ze is bezig de kerstversiering op te ruimen. 'Straks neemt Alex de dozen mee naar zijn huis. Ik kan ze moeilijk hier op zolder zetten. Binnenkort moeten we een dag naar ons oude huis, Manou. Ik wil de woning te koop aanbieden. Zien of we er een goede prijs voor krijgen.'
Manou wordt er stil van. De verkoop van het huis waar ze is geboren is weer een stap die onafwendbaar is, maar háár pijn doet. Mam

schijnt het niet veel te doen. Riekje gaat volledig op in de planner om samen met Alex een huis te kopen. 'Mam, weet je het echt zeker dat je met Alex verder wilt? Je kent hem nog maar zo kort. Stel dat het misgaat, dan zit je vast aan man en huis.'

Riekje laat een kerstbal uit haar handen glippen.

'Wie is hier de oudste? Ik weet heel goed wat ik doe. Zal ik je vertellen hoe kort je vader en ik elkaar kenden voor we trouwden?'

Ze last een pauze in om de spanning op te voeren. 'Precies zes weken en drie dagen! Heb je ooit gemerkt dat ik er spijt van gehad zou hebben?'

Manou wil simpel reageren met: ja, maar je hebt het nu wel over papa! Ze moet om zichzelf lachen. 'Dat is inderdaad erg kort, mam. Dat je zo zeker wist dat je hem wilde. En hoe was het met papa?'

Riekje bloost.

Ze raapt de scherpe stukken van de kerstbal op en gooit ze in een doos vol ander afval.

'Je vader was hier passant. Op vakantie. Kreeg pech met zijn fiets en belde bij ons aan. Mijn vader was even weg en ik heb hem koffie aangeboden. De volgende dag kwam hij me halen voor een fietstochtje. Ik kende natuurlijk de mooiste paden en wegen. Na drie weken zat zijn vakantie erop. Hij stond op het punt met de zaak te beginnen, was er vol van. Met mijn ouders ben ik er een keer wezen kijken. Mijn vader was onder de indruk. Gaf hem nog raad... Moeder nodigde hem uit om een weekend te komen logeren. En zo is het aan gekomen...'

Manou kende de details van de geschiedenis niet. Pa op vrouwenjacht! Hij heeft het maar één keer in zijn leven hoeven te doen.

'Wat nou, mam, als pa nog geleefd had en je Alex leerde kennen. Dat wil ik weleens weten.'

Riekje gaat op de punt van een stoel zitten. 'Dat weet ik ook niet. Scheiden? Dat is voor mij geen optie. Misschien sta je als getrouwde vrouw niet zo erg open voor een andere man. Ik tenminste niet. Het is dat ik nu zo 'n ander leven heb. Terug naar het dorp. Ik voel dat ik hier thuishoor. Ik heb het altijd gemist. Je geboortegrond, weet je wel?'

Manou schudt haar hoofd. Ze mist het bedrijf waar ze al jaren hard voor gewerkt heeft, niet zozeer de omgeving. Al moet ze, als ze eerlijk is, wel bekennen dat ze af en toe verlangt naar de wijdheid van de polder.

Riekje is vandaag erg open over zichzelf. 'Alex kan zo goed luisteren. Hij is een aimabele man. Met hem wil ik wel oud worden. Weet je, Manou, het vervelende is alleen dat onze familie, die van pa en mij, kritiek zal hebben over het feit dat ik zo snel na de dood van pa hertrouw. Het zijn wel niet mensen die me erg na staan, maar negatieve kritiek is altijd vervelend. Gelukkig dat mijn ouders en schoonouders het niet hoeven mee te maken.'

De volgende dag belt Alex met de boodschap dat er een leuk huis vrijkomt. Omdat het op een geliefde locatie ligt, zullen er veel kijkers komen. 'Maar wij zijn de eersten, liefje.'

Manou is benieuwd, maar kan er geen aandacht aan schenken. Ze is druk met haar eigen bezigheden.

Emmelien is nog vol van het familiefeest, ook al was het een domper dat haar vader, haar zus en haar man afwezig waren.

'Je voelt je zo geborgen in de eigen kring. Iedereen is er voor elkaar. Ook al zien we veel van hen zelden, of alleen maar op het jaarlijkse feest. We praten verder alsof er geen pauze is geweest.'

Manou kan zich geen voorstelling maken van zulke gevoelens. Als Emmelien ook nog eens over tante Louise begint, en aan moet horen wat dat familielid allemaal heeft verzonnen, wordt het lachen. 'Ik zou afstammen van de Groningse tak. Idee van je broer.'

Na een paar uur werken is de winkel weer getransformeerd tot een normale boekwinkel zonder feestelijke objecten.

Er komen zo goed als geen klanten, wat Emmelien doet opmerken dat Manou best halve dagen kan komen, zodat ze aandacht aan haar eigen zaak kan geven.

'Te bedenken dat het lente is als jij je shop opent! Hoe ga je het noemen? Het moet wel in één keer raak zijn, die naam.'

Manou schudt haar hoofd. 'Ik heb al op internet gekeken of ik de een of andere naam kan afpikken. Maar dat zal niet kunnen in verband met de regels van de Kamer van Koophandel, denk ik. Maar inspiratie kan ik er wel opdoen...'

Dan zegt ze met een stralend gezicht: 'Ik mag dan wel op jouw familie lijken, maar op het raam komt niet de naam Herwaarden te staan!'

Hebbedingenwinkeltje, Kris-Kras, Manous winkeltje. Ideetje, Cadeaushop, Mik-Mak... Emmelien heeft opeens inspiratie. Maar Manou keurt alles wat ze noemt af.

'Ik denk dat ik het van het ene moment op het andere weet.'

Als ze tegen zes uur naar huis fietst, ziet ze voor het pand van de familie Van Tellingen een verhuiswagen. Ze bedenkt zich niet en maakt rechtsomkeert.

Meneer Van Tellingen vertelt dat ze de wagen zelf gehuurd hebben. Morgen komen een paar vrienden om de boel in te laden en het zou mooi zijn als Manou van de partij wilde zijn om met moeder de vrouw te overleggen wat ze denkt over te nemen.

'Graag! Ik moet dan wel even regelen dat ik niet naar de boekwinkel kan.'

Meneer Van Tellingen ziet er vermoeid uit. Hij wrijft over zijn gezicht alsof hij zo de rimpels denkt weg te kunnen strijken.

Thuisgekomen treft Manou een enthousiaste moeder. 'Natuurlijk is het nog niet rond, maar Alex en ik zijn de eersten! Nu is het zaak wat van de prijs af te knabbelen. Ik vind het een dom spel, dat bieden. Enfin, de vraagprijs was niet al te gek. Maar dat Alex en ik dat kunnen betalen, hoeft de makelaar niet te weten.'

Ze heeft de folders van het bewuste huis meegebracht en Manou is een en al belangstelling. 'Het huis komt 1 maart vrij. En dan moet er natuurlijk nog van alles en nog wat gedaan worden. Een nieuwe keuken is nodig en ook de badkamer is gedateerd. Maar als we het goed plannen, dan zijn we getrouwd voor de Goossens terugkomen.'

Manou is blij voor haar moeder dat alles naar wens gaat. Samen bereiden ze de warme maaltijd en net als Riekje wil klagen dat ze nooit precies weet of Fabian mee-eet, stapt hij de keuken binnen.
'Je brengt kou mee, jongen,' zegt Riekje huiverend.
'Wat kijken jullie vrolijk.' Hij laat zijn rugzak op de grond zakken, pakt een blikje bier uit de koelkast en trekt een keukenstoel naar zich toe. 'Nou, vrolijk ben ik ook. Lieve mensen, wat een gedoe, daar bij de opgraving. Na veel speurwerk is men erachter gekomen wie de jongens waren die met de oude ketel gesjouwd hebben. Ze wonen hier vlakbij en waren zich niet bewust van de waarde van het ding. Ze zochten iets waar ze hun rotjes in konden stoppen. De brievenbussen waren allemaal weggehaald. Niet voor niets, bleek dus!'
Fabian neemt een flinke slok bier en vertelt dat er nog meer oud spul is opgegraven. De bouw is dan ook een week of wat uitgesteld. 'Nog meer muren, oude fundamenten. Er was vandaag veel belangstelling. De pers, de Gelderse radio- en tv-mensen. Nu wordt er gefluisterd dat 'ergens' in de bossen nog een klooster gestaan moet hebben. Er schijnt een eeuwenoud pad dwars door de bossen en velden geweest te zijn. Dus nog meer werk voor mijn vrienden.'
Riekje zegt dat Alex ook al zo enthousiast was. 'Geef mij de IKEA maar. Ik moet niets van dat oude spul hebben,' zegt ze, terwijl ze vermicelli in stukjes breekt en in de soep laat glijden.
Af en toe gluurt Manou naar de mond van Fabian als hij aan het vertellen is. Vreemd idee dat ze nu weet hoe het voelt, zijn lippen op de hare.
Als ze aan tafel willen gaan, houdt Fabian haar staande. 'Ik heb iemand gesproken wier zuster stopt met een hebbedingwinkeltje. Wegens verhuizing naar Zuid-Frankrijk. Ik heb gezegd dat jij misschien wel belangstelling hebt voor haar voorraad. Interesse?'
Manou verschiet van kleur. 'Dat zou ik denken!'
Fabian vertelt tijdens het eten hoe het gesprek is verlopen. Een van de archeologen wilde een bepaalde plek gefotografeerd hebben en tijdens die bezigheid zijn ze aan de praat geraakt. 'Wat zouden het

voor spullen zijn?' Manou zou het o zo graag weten, maar Fabian kan haar niet wijzer maken. 'Ik heb een telefoonnummer voor je. Je moet er voor naar Apeldoorn-Zuid. Of er haast bij is, weet ik niet.'

Na het eten belt ze meteen het nummer dat Fabian op de achterkant van een nota heeft geschreven.

Ze krijgt snel gehoor en een afspraak is even vlug gemaakt.

Morgenmiddag, als ze klaar is bij de Van Tellingens, rijdt ze meteen door. 'Mag ik mee?' vraagt Fabian tot haar verbazing.

'Eh eh... natuurlijk. Gezellig. Ik weet daar de weg natuurlijk niet.'

Alweer een stapje dichter bij de winkel.

Ook al is het maar een kleintje, het is wel een van de eerste!

9

MEVROUW VAN TELLINGEN IS BLIJ DAT DE VERKOOP IN DE WINKEL VER-
leden tijd is. 'Het greep me wel aan, die laatste dag, de laatste klanten. De rest van de voorraad is overgenomen door iemand die op de
markt staat.'
Manou, die zelf bezig is met overname van voorraden, voelt zich
aangesproken.
'En ons nieuwe onderkomen is kleiner dan dit, Manou. De berg-
ruimte stelt ook niet veel voor. Dus we zijn verplicht veel van de
hand te doen.'
Manou helpt met het inpakken van serviesgoed. Ze is er ervaren in
en vertelt over het werk dat ze jaren heeft gedaan.
'Afscheid nemen is telkens een beetje sterven...' zegt mevrouw Van
Tellingen.
Manou kan daarmee instemmen.
Mevrouw Van Tellingen wil niet dat Manou veel betaalt voor de
spullen die ze zelf niet meer nodig heeft. Het servies, ach, dat mag ze
zo hebben. 'Ik kom weleens koffie bij je drinken uit mijn eigen kopjes. En zoek maar uit welke vazen je wilt hebben. Hoe kom ik toch
aan zoveel spullen?'
Ze lachen er maar om. Serviesgoed, vazen, kleine beeldjes en eier-
doppen die mevrouw ooit heeft gespaard. 'Ik heb ook een verzame-
ling uilen en eenden. Belangstelling?'
Het blijken vrij unieke verzamelingen te zijn, sommige stukken zijn
meer dan zestig jaar oud. Niet echt waardevol, maar voor de verza-
melaar bijzonder. 'Ik kan ze zelfs in de verkoop doen.'
Al met al wordt het een gezellige en vruchtbare ochtend. Een stel
stoere mannen sjouwt de meubels en volle dozen naar beneden. Als
de bovenverdieping zo goed als leeg is, kijkt mevrouw Van Tellingen
met tranen in de ogen om zich heen.
'Ik ben hier zo gelukkig geweest, kind,' zegt ze tegen Manou, die niet

weet hoe ze troost kan bieden. 'Ik beloof u dat ik, eh eh... goed voor het huis zal zorgen. En als ik ben ingericht, moeten jullie komen kijken. Altijd welkom!'

De overgordijnen, van zware kwaliteit, blijven hangen en de vloerbedekking, zo goed als nieuw, wordt niet meegenomen. Mevrouw Van Tellingen kijkt bezorgd naar de afdrukken die de meubels hebben achtergelaten. 'Die kun je misschien wel weg krijgen met stoom.' Manou stelt haar gerust. 'Er komen toch weer meubels op te staan. Ik ben erg blij dat ik hier zo in kan trekken.'

Ze mag zelfs een bed en een kledingkast overnemen.

Als de verhuiswagen de straat uit rijdt, kijken de drie mensen deze met gemengde gevoelens na. Meneer Van Tellingen legt een arm om de schouders van zijn vrouw.

'Kom, meisje, dan gaan we in het hotel een hapje eten. Dat hebben we wel verdiend.'

Manou krijgt de sleutels. Meneer Van Tellingen deelt mee dat de man die de stroom en het gas op zou meten al is geweest. 'Dus van nu af is het jouw verantwoording. Veel geluk, dat je maar net zo tevreden hier mag wonen en werken als wij gedaan hebben.'

Ze zwaait, op straat met nog de sleutelbos in haar hand, de auto met de twee mensen uit.

Heel even slaat Manou aan het filosoferen. Het leven gaat door, door, alsmaar door. Op dezelfde plekken andere mensen met eigen ideeen. En daarna wéér andere mensen en zo gaat dat al eeuwen.

'Droomster!' Fabian lijkt uit de lucht te zijn gevallen. Hij wijst op de geparkeerde Saab. 'Riekje was zo lief mij vast de sleutels te geven. Ik stel voor dat we onderweg ergens een broodje eten. Of voor mijn part een uitgebreide lunch, net wat je wilt.'

Manou komt met een smak terug in de tijd. 'Leuk, lekker bedoel ik. Ook al zie ik er niet zo fris meer uit, na het geploeter boven.' Als ze naar de auto lopen, kijkt Manou verlangend om naar het pandje. Háár pandje.

'Zal ik het 't Pandje noemen?'

Fabian grijnst. 'Zet maar op de lijst van verkiezingen.'

Manou schuift naast hem op de passagiersstoel. Vandaag laat ze zich rijden.

Ze kijkt opzij, naar Fabian. Zijn handen die op het stuur liggen, zijn sterk en bepaald niet van een keurig meneertje. Hoewel de dag nog maar half om is, is zijn baardgroei alweer te zien. En het nekhaar, vindt Manou, mag wel weer eens geknipt worden. 'Kijk het moois niet van me af!' doet hij quasiverontwaardigd.

'Nou ja, ik dacht dat het tijd werd dat je naar de kapper ging.' Fabian stelt voor dat Manou vanavond zijn nekhaar mag aanpakken. 'Als beloning dat ik je rondrijd.'

Ze lunchen in een hotel dat niet ver van de snelweg af ligt. Half verscholen in de bossen met een landelijke uitstraling. Hoewel de parkeerplaats vol lijkt, is er binnen plek genoeg. Zelfs een tafeltje bij het raam is nog vrij. Manou beseft opeens dat ze de laatste tijd amper uit is geweest. Ze zegt het ook. 'Ik noem dit echt uitgaan.' Fabian lacht haar warm toe en schuift de kaart naar haar toe. 'Zoek maar wat lekkers voor ons beiden uit. Wat dacht je van mosterdsoep? Romige mosterdsoep, staat op de kaart. Het water loopt me nu al in de mond. En een broodje met brie en van alles eromheen?'

Manou zegt plagend: 'Ik dacht dat ik mocht uitzoeken?'

Het wordt mosterdsoep en broodjes brie.

Fabian doet zijn best Manou ongemerkt uit te horen over haar leven in de polder. Of ze veel vrienden had, uitging? Steden genoeg in de wijde omtrek. Ooit een vaste vriend gehad?

'Jij?' reageert ze, als de soepkommen leeg zijn.

Fabian grijnst zijn scheve lach die hem jaren jonger doet lijken. 'Geen vriend, een vriendin. Leuke meid. Maar ja, dat vonden alle mannen en dat maakte van haar een allemansvriendje. Vriendinnetje. Op een gegeven moment zag ik dat het nooit iets zou worden waar je het kaartje 'tot de dood ons scheidt' aan zou kunnen hangen. Dus stond mij maar één ding te doen: stoppen. Bovendien reisde ik in die tijd de hele wereld over. Dat wil ik nu afbouwen en me in een andere richting bekwamen. Ik denk er sterk over, Manou, een eigen fotozaak te beginnen.'

Manou spert haar ogen wijd open. 'Vertel me nou niet dat je ook een oogje op mijn pandje had. Dat zou ik afschuwelijk vinden!'

Fabians ene hand kruipt over de tafel naar die van haar toe en pakt haar vingers. 'Wat zeg je dat lief. Nee, er wordt achter het voormalig klooster gebouwd, dat weet je. Winkels met erboven woningen. Daar heb ik een oogje op. Goede locatie ook. Er is hier in het dorp geen fotospeciaalzaak. Ik heb dus mijn plannen op het juiste moment gemaakt. Met Kerst heb ik het er met mijn ouders over gehad. Tja, die waren wel tevreden met het idee dat hun zoontje zich eindelijk echt ergens gaat vestigen!'

De broodjes en koffie worden gebracht.

'Dit moesten we vaker doen,' laat Manou zich ontvallen, om meteen haar hoofd te buigen teneinde haar blos te verbergen.

Alsof ze Fabian uitnodigt meer met haar op te trekken!

'Uitstekend idee. Dit hier is leuker dan hotel Herwaarden, vind ik. Ach, met de lente en zomer in het vizier komen ook de plannetjes.'

Opeens krijgen ze haast, de klok loopt door, de tijd lijkt te snel te gaan. Een klein halfuurtje later staan ze in Apeldoorn-Zuid voor een alleraardigst winkeltje. Voor de ramen zijn grote plakkaten bevestigd met UITVERKOOP erop.

Fabian pakt Manous hand als ze op de winkel aflopen. Het voelt natuurlijk.

In de winkel is het te warm. Manou fluistert: 'Ze verhuizen vast omdat het in Nederland te kil is!'

Vanachter een fluwelen gordijn komt een nog jonge vrouw tevoor-schijn.

'Jullie komen voor mijn zaakjes? Dacht ik al.' Ze stelt zich voor en gaat onmiddellijk over tot handelen. Manou kijkt verward om zich heen, bestudeert de handelswaar.

En ja, het winkeltje liep erg goed. 'We beginnen ginds weer zoiets, maar dan met curiosa en antiek. En oude bouwmaterialen, daar is vraag naar. Mensen knappen oude boerderijtjes en arbeidershuisjes op, zoeken zich te pletter naar de juiste handvatten of scharnieren, haken, dat soort spul. Via mijn neef, de archeoloog, kan ik daar aankomen. Wat voor de één rommel is, heeft voor de ander waarde.'

Manou koopt uiteindelijk dozen met kaarsen, plus de nodige houders. Gangbare artikelen. Net als geurzakjes, gekleurde flesjes, sierlijke danseressen plus partners. Maar mevrouw heeft nog veel meer. Dozen vol leuke keukenhaakjes, mandjes van vele afmetingen, aparte lepeltjes en trommeltjes. En, niet te vergeten, eigentijdse sieraden. Het uitzoeken kost de hele middag. Af en toe komen er klanten, die natuurlijk voorrang hebben.

Als alles wat er staat bekeken en gekeurd is, krijgt Manou te horen dat er ook nog een opslagplaats is.

'Daar staan manden, wat meubels van riet, bijzondere kerst- en paaskaarten, plus alles wat gangbaar is. O, te veel om op te noemen! Maar dat kan ik pas na sluitingstijd laten zien.'

Fabian stelt voor dat ze een nieuwe afspraak maken. 'Dan huren we een busje, zodat we alles zelf kunnen vervoeren.'

Manous wangen gloeien van opwinding. 'En dan te bedenken dat ik met Ron nog naar een paar groothandels en beurzen ga.'

'Zozo,' zegt Fabian. Het is donker als ze naar huis rijden.

'Ik ben zo blij!' verzucht Manou en ze schrikt van zichzelf als ze de neiging in zich op voelt komen om haar hoofd op Fabians schouder te leggen.

'Weet je, toen mijn vader was overleden, dacht ik nooit meer blij te kunnen worden. Sommige mensen zeiden dat dit een kwestie van tijd was. Dat geloofde ik niet. Nu kan ik aan hem denken zonder in tranen uit te barsten. Het verlangen naar hem is niet minder, hoor. Ik zou zo graag alles wat me nu overkomt willen delen. Dat doe ik dan maar in gedachten. Ik heb erover gedacht om het op te schrijven. 'Brieven aan mijn vader'. Net of je van jezelf nooit meer blij met iets mág zijn en weet je, weet je...'

Fabian knikt. Het zoveelste 'weet je'.

'Ik nam het mijn moeder kwalijk dat ze liefde voor een andere man dan pa heeft gekregen. Nu begrijp ik dat het oprecht is en dat ze misschien wel meer van Alex houdt dan ze ooit van pa heeft gehouden. Ik dacht vroeger weleens: het lijkt wel alsof de liefde van één kant komt! Pa was zo van: eerst naar moeder de vrouw. Ondanks het werk, dat namen we gewoon mee naar huis. Mama moest nooit hoeven te wachten. Dat soort dingen. Of ze het gewaardeerd heeft? Misschien is het haar totaal ontgaan.'

Fabian luistert, concentreert zich ondertussen terdege op het verkeer. Het is spitsuur. Mensen spoeden zich naar huis. Daar heeft hij jaren geen behoefte aan gehad, aan een huis, aan iemand die op hem wacht. Met het ouder worden is hij bezig te veranderen. Of komt het door de vriendschap met een bepaald persoontje?

'Zijn we er al?' vraagt Manou verbaasd als Fabian de Kloosterdwarsstraat inrijdt. Voor de deur staat de auto van Alex.

'Er valt ongetwijfeld weer heel wat te vertellen.' Fabian stapt uit, duikt nog even met zijn hoofd de auto in waar Manou bezig is zich van de gordel te bevrijden. 'En dan te bedenken dat dit wederzijds is.'

Alex en Fabian zijn al snel verdiept in een gesprek over opgravingen in het algemeen. Alex vertelt hoe hij meerdere keren in de buurt van Nijmegen heeft helpen graven. Fabian houdt het bij fotograferen en vertelt over zijn plannen een eigen zaak te beginnen.

Riekje bekijkt met kritische blik de spulletjes die Manou heeft meegebracht. 'De leukste dingen komen nog, mam. We moeten zelfs een busje huren om het allemaal te vervoeren!'

Riekje wil weten wat er zoal nog moet gebeuren voor de winkel geopend kan worden. Ze bedoelt niet de interne verbouwing, maar andere zaken, zoals de aanschaf van een kassa, een prijskaartjestang en dat soort dingen.

'Daar helpt Emmelien me mee. En met Ron ga ik naar een groothandel. Zij hebben vaker met dat bijltje gehakt.' Riekje kijkt er ontevreden bij. 'Die Ron is een aardige jongen, maar meer ook niet, Manou! Er zitten in dit dorp nog wel andere jongemannen.'

Terwijl Riekje naar de keuken gaat om haar ovenschotel te inspecteren, bergt Manou haar spulletjes op.

Zittend op haar bed droomt ze weg, is in gedachten aan het verkopen. 'Is het een cadeautje? Dan maken we er een feestelijk pakje van!' Lintjes, misschien een klein hebbedingetje zoals een lieveheersbeestje om erop te plakken.

Als haar moeder onder aan de trap roept dat het eten klaar is, komt ze met een schok terug in het heden.

Het wordt een gezellige maaltijd. Riekjes specialiteit is een kool-met-uien-en-gehaktschotel. Ze maakt het gerecht in vele variaties.

'Laten we het alsjeblieft niet meer over opgravingen hebben,' smeekt ze. Alex legt een hand op de hare en kijkt haar innig aan. 'Ik weet een beter onderwerp, liefje. Laten we praten over de winkel van je dochter. Manou!' Hij richt zich tot Manou. 'Heb je al vrienden gemobiliseerd om je te helpen met schoonmaken, behangen en verven?'

Zover is ze nog niet gekomen.

Fabian zegt dat zaakje wel op zich te zullen nemen. 'Ik ken een stel handige knapen die graag voor weinig klussen. Hoe eerder het af is, hoe beter. Dan kun jij je concentreren op de inrichting. Muurkasten, die nét oud lijken. Alsof ze gemaakt zijn van afval. Dat is ín, heb ik me laten vertellen. Ik denk dat ik met jou en Ron meega, als jullie op rooftocht gaan. Dan kan ik gelijk dingen voor mezelf zoeken. Ik denk nu aan de betimmering en dergelijke.'

Riekje knikt tevreden. 'Daar doe je goed aan.'

De volgende dag treft Manou een opgewonden Emmelien in de winkel. 'Jelle komt thuis! Hij moet nog veel rusten, maar dat kan net zo goed hier als ergens anders. Het ziekenhuis wilde hem al doorsturen naar een revalidatiecentrum. Maar daar was meneertje het niet mee eens!'

Emmelien is bezig met balansen en legt Manou haar manier van werken uit. 'Zul jij volgend jaar ook aan moeten.'

Samen met Ron vertrekt Emmelien kort na de lunch om haar man te halen. Kunnen ze meteen bij vader Anton op bezoek. Manou vindt het leuk om in haar eentje de winkel te runnen. Totdat er een vertegenwoordiger binnenstapt. Ze zegt hem niet van dienst te kunnen zijn.

'Emmelien is aan het eind van de middag wel terug. Dus als u zolang kunt wachten, misschien een ander adres eerst bezoeken?'

De vlotte jongeman lacht haar uit. 'Welja, in dit dorp zijn tientallen boekwinkels waar ik terechtkan! Nee, zeg maar dat ik het volgende week wel weer probeer.'

Manou vraagt zich af of hij ook dingen verhandelt die zij zou kunnen gebruiken.

'Dat is de vraag. Ik kan je wel wat laten zien. Opschrijfboekjes, kleine kalenders en dat soort dingen. Maar je moet natuurlijk niet dezelfde voorraad aanschaffen die hier ook te koop is. Ik breng volgende week wel wat voor je mee.'

Tegen vijf uur komt de moeder van Emmelien, Narda, samen met Puckie de winkel binnenstappen. Ze kijkt zorgelijk, vindt Manou. 'Nog nieuws over uw man?' informeert ze, terwijl Puckie naar de boekenhoek voor peuters rent.

'Ja, en dat is slecht nieuws. De oorzaak is onze oudste dochter, Margriet, zijn oogappel. We houden het stil; in een dorp als dit wordt er toch zo gauw gekletst. Mijn man is psychisch een wrak. Dat verandert pas als het met Margriet beter gaat.'

Opeens roept Puckie met schelle stem dat de auto van oom Ron voor de deur stopt. 'Met mama en met papa!'

Narda draait zich snel om en probeert opgewekt te kijken. 'Blij met de blijden,' zegt ze bijna geluidloos.

Puckie zet de winkeldeur wijd open en klapt in haar handjes, danst van de ene voet op de andere.

Jelle, een stoere man die hulp moet hebben bij het lopen. Aan de ene kant steunt Ron hem, aan de andere kant leunt hij op een kruk. Emmelien loopt achter hen aan met een tas en een koffer in haar handen.

'Thuis! Tjonge...' Jelle blijft op de deurmat staan en neemt de omgeving in zich op. 'Narda, moedertje, fijn je te zien. En wie hebben we daar?'

Manou wil hem de hand drukken, maar dat is niet uitvoerbaar. Ze noemt haar naam en knikt hem toe. 'Welkom thuis!'

Jelle wordt in het bed in de zijkamer geholpen, wat zo te horen een pijnlijke toestand is. Zelfs in de winkel kan Manou hem horen protesteren.

Narda neemt Puckie mee om koffie te zetten en cake te snijden. Even is het stil in de winkel, dan komt er een luidruchtig groepje tieners binnenvallen. Ze zitten met hun vingers overal aan, laten elkaar kaarten zien die ze scheef in het rekje terugzetten. Balpennen en geschenkboekjes ondergaan hetzelfde lot. Manou griezelt. Als dat straks in háár winkeltje ook zo moet gaan... Ze haalt diep adem en probeert op speelse manier de jeugd terecht te wijzen. 'Wat is de bedoeling: moet er wat gekocht worden of komen jullie alleen neuzen?' Ze wordt nog net niet uitgelachen. Maar de tieners doen prompt allemaal hun handen op de rug en gieren van het lachen. Eén maakt het te bont en spuugt kauwgom op de grond. Manou beheerst zich, maar zegt koel: 'Dat gaat te ver. Hier heb je een papiertje om het mee op te rapen en dáár is de prullenbak!'

Een van de meisjes plukt een opschrijfboekje uit een doos en legt dat op de toonbank. Het is een cadeautje. Of het leuk ingepakt kan worden?

Een van de anderen blijkt opeens een balpen nodig te hebben en na veel vijven en zessen verlaten ze eindelijk de winkel. Emmelien komt koffie met cake brengen. 'Wat kijk jij zorgelijk?' Manou doet haar beklag, waarop Emmelien begrijpend knikt. 'En dan mag je nog blij zijn als ze niets gejat hebben! Zo is de jeugd tegenwoordig.'

Aan dat soort dingen heeft Manou nog niet eens gedacht. Terwijl zulke dingen aan de orde van de dag zijn...

Emmelien knikt haar bemoedigend toe. 'Er zijn ook leuke klanten. Heb je zelf ontdekt. Laat je niet ontmoedigen, meid! Pfff... Ik was daarnet blij dat we Jelle in bed hadden. Heb je hem gehoord? Eigenlijk is hij nog volop patiënt. Maar het was: húp! Het ziekenhuis uit. Beddentekort... Enfin, met de verpleegkundige, die dagelijks langskomt, moet het lukken. Een man als Jelle hele dagen in bed... Nou ja, we komen er wel doorheen!'

Manou wil roepen: je houdt toch van hem? Maar Emmeliens problemen schijnen niets met houden van te maken te hebben.

Nog wat later komt Narda de winkel in met Puckie aan de hand. Het kind brult zo hard dat horen en zien hen vergaat.

'Het is niet leuk... níet leuk... papa in bed! Ik mag niet eens op de dekens zitten... hij moppert en moppert!'

Narda zegt dat papa ziek is en dat Puckie lief moet zijn, mama helpen. 'Dan wil ikke met oma mee!' Maar oma moet naar het ziekenhuis, waar opa op haar wacht. Hevig verongelijkt en nasnikkend trekt het kind zich terug in de speelhoek, waar een tafeltje met legoblokjes staat.

Narda neemt afscheid en verdwijnt de donkere avond in.

Emmelien kijkt haar met donkere ogen na. 'Mama is zo bezorgd dat het niet goed gaat met pa. En ik ook. Ron is ook al de somberheid zelf. Maar goed, ter wille van de klanten blijven we lachen.'

Manou fietst gedeprimeerd naar huis en beseft dat ze nog veel moet leren.

10

POETSEN EN BOENEN, PLAFONDS WITTEN EN DE VERFKWAST HANTEREN. Gehuld in een oude overall van Fabians vader is Manou druk in de weer, in afwachting van de klustroepen onder leiding van Fabian. Op de bovenverdieping hebben ze niet veel te doen. Alleen de keuken moet hier en daar gerenoveerd worden. Ze wil geen geld aan een nieuwe uitgeven, misschien later.

Fabian heeft een vriend die goed kan timmeren en volgens hem kan hij het aanrecht en de kastjes van nieuwe deurtjes voorzien. Ook wil ze nieuwe tegeltjes op de vloer. Nu ligt er zwaarbeschadigd linoleum. Voor de ramen komen geruite gordijntjes. De stof ervoor heeft ze op de plaatselijke markt gekocht. En naaien doet ze binnenkort op de machine van Fabians moeder.

De etage ruikt naar groene zeep en allesreiniger. Manou heeft het gevoel dat ze haar eigen verleden aan het wegpoetsen is. De ramen staan wijd open, kou voelt ze niet.

Haar eerste, eigen huis. Zo onverwacht en zo'n schot in de roos.

Een paar winkels verderop is een zaak waar meubels en vloerbedekking verkocht worden. Daar heeft Manou voor de slaapkamer en gang wollen tegels uitgezocht. Omdat het voor een bovenverdieping is, durfde ze het aan om een lichte kleur te nemen. Er zal immers nooit direct van buiten inloop zijn. De winkelier verwelkomde haar hartelijk, als nieuwe buurvrouw en collega. En tot haar verrassing kreeg ze een flinke korting.

Onder het werken kan ze goed nadenken. Over van alles en nog wat. Plannen maken is één, maar ze realiseren is heel wat anders. Zakenvrouw. In het dorp van mama!

De keukenkastjes krijgen een flinke beurt en op de planken legt Manou vrolijk papier. Het gekregen haan-en-kipservies wast ze op advies van mevrouw Van Tellingen eerst af voor het te gebruiken. Het heeft al lang in een kast gestaan en al lijkt het op het oog schoon, wie goed kijkt ziet het stof in de kopjes. Ze geniet ervan alles in de schoon ruikende kast te zetten.

In de boekwinkel werkt ze ongeveer om de andere dag en dat is lang niet altijd een pretje. Emmelien is zwijgzaam, heeft problemen met het gedrag van haar moeizaam herstellende man. Bovendien knijpt de angst om haar vader en afwezige, zieke zus.

Manou vindt het moeilijk om de zorgen van Emmelien, die ze is gaan waarderen, van zich af te schudden. Ook al schijnt momenteel in háár leventje de zon.

Tegen twaalf uur komt het verkeer in het dorp op gang. De mensen van de kartonfabriek en de wasserij haasten zich naar huis om te lunchen. Vanuit het geopende raam beziet Manou de dorpelingen. Geweldig dat zij in de toekomst niet heen en weer hoeft te racen, maar simpelweg de trap op en af zal klimmen.

Vlak voor haar deur stopt een haar onbekende wagen. Benieuwd wie de chauffeur is, buigt ze zich wat meer naar voren. Kijk, kijk! Fabian met zijn nieuwe wagen. Ze wuift naar hem en hij zwaait vrolijk terug. Met een paar stappen is hij boven.

'Hoe vind je mijn slee? Niet spiksplinternieuw, maar voor mij precies goed genoeg. Dankzij Ron.' Hij slaat Manou vrolijk op een schouder en nodigt haar uit een proefritje te maken.

Manou kijkt omlaag, naar haar versleten gympen, de gevlekte overall van meneer Goossen. 'Zal ik helpen dat ding uit te doen?' biedt Fabian aan, wetend dat ze het kledingstuk over haar spijkerbroek en jumper heeft aangedaan. 'Zo wil ik je natuurlijk niet mee hebben,' plaagt hij.

Manou schopt haar schoenen uit en knoopt de overall los. 'Gelijk heb je. Mannen en hun auto...'

Lachend lopen ze naar beneden. Manou sluit de deur van haar 'bezit' zorgvuldig en draait de sleutel om.

'Karren maar! Niet te ver, Fabian. Ik moet de dag uitbuiten.'

Fabian rijdt het dorp uit, kiest een buitenweg en koerst richting vakantiepark. 'Natuurlijk óók een Herwaardenbedrijf. Vroeger, toen ik een kind was, kon je geweldig ravotten in de bossen. Nu staat er om de zoveel meter een vakantiehuisje.'

Hij rijdt over wegjes die niet geschikt zijn voor auto's, maar omdat hij Manou alles en nog wat wil laten zien, trekt hij zich daar niets van aan.

Manou kijkt haar ogen uit. Een compleet dorp, dat vakantiepark. 'Als die gasten strakjes allemaal bij mij komen kopen, Fabian, ben ik zó binnen!'

Fabian zegt dat hij ze hoopt te lokken met zijn apparatuur en bijbehorende artikelen.

Als de weg te slecht én te smal wordt, keert Fabian met moeite de wagen om via een wat bredere weg terug te rijden naar het dorp. Als ze langs een begraafplaats rijden, vraagt Manou even te stoppen. 'Ik ben nog nooit naar het graf van mijn grootouders geweest. Misschien toen ik heel klein was. Kan het even?'

Fabian vraagt wanneer ze zijn overleden, wijst dan aan waar ze waarschijnlijk begraven zijn. Een vreemde gewaarwording zo samen met Fabian hier te lopen. Hij vertelt waar zijn opa's en oma's liggen. 'Mijn grootouders waren alle vier geweldig. Ik was daar meer dan thuis.'

Na even gezocht te hebben vinden ze het graf. Manou staart naar de bemoste steen en vraagt zich af of haar moeder, sinds ze hier wonen, er ooit is geweest.

'Kom,' zegt Fabian na een tijdje. 'Laten we verdergaan. Jij bent een gevoelig meisje, is het niet?'

Hij legt, alsof ze getroost moet worden, een arm om haar taille. 'Ik? Misschien wel... Nooit zo mee bezig geweest.'

Zwijgend leggen ze de korte afstand af. Fabian opent hoffelijk het portier voor Manou.

In het dorp is de rust – voor even – weergekeerd. Wat Manou wil, naar huis of naar huis? Ze begrijpt hem meteen en lacht gelukkig. 'Naar jullie huis!'

Thuisgekomen vertelt Riekje dat ze nodig een dag naar hun huis in de polder moeten. Fabian stelt voor hen te rijden, want hij wil zijn nieuwe wagen uitproberen. 'En dan kan ik meteen zien waar jullie gewoond hebben.'

Emmelien zegt, als Manou haar belt, dat ze het morgen best alleen aankan. 'Ga jij maar lekker op stap en ik wens je veel plezier.'

Het weer werkt mee. Het regent niet, er is geen wind. De wolken hangen stil in de lucht. Eigenlijk, vindt Fabian, ís het geen weer.

De auto rijdt als een zonnetje, stelt hij tevreden vast. 'De remmen doen het goed, ik hoor geen pingeltje of ander raar geluidje. Degelijke luxe, daar houd ik van!'

Het is Manou vreemd te moede als ze voor hun eigen huis stoppen. Uit de bovenramen hangen dekbedden te luchten en voor de ramen staan nog hun eigen planten.

Fabian bekijkt de locatie, bewondert de grote loodsen waar meubelopslag is en de verhuiswagens hun vaste plekken hebben.

'Mooi bedrijf! Leuk huis ook.'

De huurders zijn op de hoogte gebracht en vanachter een gebouw komt de nieuwe eigenaar aangestapt.

Even later zit het gezelschap in de vertrouwde woonkamer.

Al snel komt Riekje tot de kern van hun bezoek. Ze wil het huis te koop zetten, maar de nieuwe eigenaar krijgt als eerste de keus. Bovendien is ze van plan veel meubels af te stoten. Zij en Manou willen het huis door om te zien wat ze graag willen houden. Manou heeft vooral belangstelling voor de dingen die uit het ouderlijk huis van haar vader afkomstig zijn en zich in de opslag bevinden.

'En dan nu de prijs,' zegt Riekje gedecideerd. En Manou denkt: pa zou haar eens moeten horen.

'Tja, daar zal een makelaar voor aan te pas moeten komen,' Riekje knikt. Vanzelf. Alex heeft beloofd voor haar te zullen onderhandelen. Maar, vindt de nieuwe eigenaar, dat komt allemaal vast wel goed.

Riekje en Manou gaan het huis door met papier en potlood, plus een vel stickers.

'Ik wil pa's grote bureau, mam. Ik zet het in de kamer voor het achterraam. En eigenlijk ook de kast en de stoel die erbij hoort...' Riekje vindt het best.

'Al met al wordt het een verhuiswagen vol. Alle ingepakte dozen met onze bezittingen... Wat we nu meenemen is de lente- en zomerkleding. Hopelijk is Fabians kofferruimte groot genoeg.'

Het is een vermoeiende klus waarbij Fabian niet kan helpen. Hij kuiert op zijn gemak over het terrein, maakt een praatje met de mannen die aan het werk zijn en laat zich uitleggen waar een loods, waarin hele interieurs worden opgeslagen, aan moet voldoen.

De huidige huurder van het huis vraagt of de gasten blijven eten. Maar Riekje heeft zo haar eigen plannen. Uit is uit, dat betekent ergens lunchen.

Na het afscheid dringt het tot Manou door dat dit bijna de laatste keer zal zijn dat ze hier is geweest. De volgende keer zal ongetwijfeld de koop rond zijn...

Riekje wil in de dichtstbijzijnde stad lunchen. 'Heerlijk idee dat we daarna niet naar het terrein terug hoeven.' Er klinkt iets van triomf in haar stem.

Manou reageert niet, maar stelt even later wel voor dat ze even naar het graf van pa gaan. 'Als jij dat wilt.'

Kerkhofbezoek: voor de tweede keer in een paar dagen.

Het graf van Ruud Altena wordt goed onderhouden. Dat heeft zijn weduwe geregeld. Manou knielt voor de steen, gaat met haar vingers over de letters. Riekje draait zich om, zegt niet tegen de sfeer van de dood te kunnen en loopt terug naar de auto.

Manou voelt een hand van Fabian op haar hoofd. 'Gaat het?' vraagt hij zacht. Helpt haar dan overeind. Met zijn duim veegt hij een langzaam biggelende traan van een wang.

'Ach jij toch!' zegt hij vriendelijk, alsof hij het tegen Puckie heeft.

'Hij was toch mijn vader... Ik mis hem meer dan mijn moeder dat doet!'

Fabian legt een hand onder haar elleboog en voert haar terug naar het antieke hek met spijlen. 'Menselijke relaties zitten ingewikkeld in elkaar en kunnen veranderen. Dat merkte ik toen ik met Kerst mijn ouders weer zag...'

Als ze de auto naderen roept Riekje uitgelaten: 'Op naar de lunch!'

Ze zijn die middag later thuis dan verwacht. En tot hun verbazing krijgt Fabian onverwachts bezoek. Een jonge vrouw is door buurvrouw Bettie, die voor zover ze kan het doen en laten van de buren in de gaten houdt, opgevangen.

Een goed ogende, blonde jonge vrouw belt aan als ze nog maar net binnen zijn.

Ze komt voor Fabian Goossen. Manou nodigt haar binnen en als ze Fabian, die zijn jas nog aanheeft, waarschuwt, beent hij nieuwsgierig naar de gang. 'Moeten wij elkaar kennen?' verbaast hij zich.

'Als je een béétje geheugen hebt, wel. We hebben elkaar met Kerst ontmoet. Jij was op bezoek bij je ouders, ik bij de mijne.'

Marjan de Wit. Jawel, fotografe van beroep. 'We hebben uitgebreid gesproken over onze hobby, ons beroep. Zeg me niet dat ik zo weinig indruk heb gemaakt!'

Fabian krabt zich achter een oor en zegt dat het muntje is gevallen. 'Ik moet je alleen zeggen dat ik hier wel woon, maar momenteel gast ben omdat mijn ouders het huis verhuurd hebben. Maar ik denk dat je welkom bent.'

Hij stelt Marjan aan Riekje en Manou voor.

Manou denkt, terwijl ze op Riekjes verzoek koffiezet: zo zou ik er ook uit willen zien. Stralend blauwe ogen, van nature blond haar dat om het hoofd golft. Een huid als van een baby. Ze vergelijkt haar met zichzelf. Goed, sommige mensen vinden haar bruine ogen mooi. Alsof er een lampje achter brandt, zei haar vader vroeger. En als ze de juiste middelen gebruikt, valt het steile haar ook goed.

Ze zet de kopjes klaar, rekent uit hoeveel weken ze nog in dit huis zullen wonen. Er valt nog veel te doen!

Lepeltjes, suiker en melk. Ze schudt een pak koekjes uit op een schaaltje. Fabians lievelingskoekjes: janhagel.

Ze hoort Fabians lach, die van Marjan overstemt hem.

Waarom is ze nu geïrriteerd?

Ze dwingt zichzelf tot andere gedachten en even later is het een 'opgewekte Manou' die de koffie ronddeelt.

Marjan is aan het woord. Ze vertelt over haar reis door Europa. De foto's die ze heeft genomen. Wat haar plannen zijn. Het blijkt dat ze, net als Fabian, een zaak wil beginnen. 'En het lijkt me leuk om fotografiecursussen te geven. Tegenwoordig knippen de mensen met hun digitale speelgoeddingetjes maar raak en soms lijkt het heel wat. Ik vind dat onze kennis overgedragen moet worden.'

Dat is Fabian met haar eens. Waar Marjan zich dan wel wil vestigen? Ze lacht schalks en vraagt of er in dit dorp plek is voor twee fotozaken?

Fabian kijkt zuinig. 'Misschien wél voor twee eigenaren in één zaak.'

Manou schrikt. Stel dat die Marjan hier vaste voet aan de grond krijgt en Fabian voor zich opeist.

Nu schrikt ze voor de tweede keer. Wat opeisen? Ze doet alsof ze iets over hun huisgenoot te vertellen heeft. Fabian is van niemand, alleen van zichzelf. Toch blijft er een gedachte knagen. Fabian Goossen, hij is geleidelijk aan een vanzelfsprekendheid in hun leventje geworden. Marjan heeft iets tegen haar gezegd. Maar wat? 'Sorry, ik was er even niet bij. Wat vroeg je?'

Een eigen zaak. Hoe Manou ertoe is gekomen?

'Nou ja, dat ging vanzelf. Ik stond op een kruising, moest een keuze maken en na lang denken kwam dit eruit.'

Natuurlijk moet Riekje met mevrouw Roza Kelderman op de proppen komen. Uitgebreid vertellen hoe knap die dame is als het gaat om uit te zoeken waar je geschikt voor bent.

Marjans ogen lijken nog blauwer te worden. Ze kijkt verbaasd naar Manou. 'Heb jij daar dan een buitenstaander voor nodig gehad? Ik wist als kind al wat ik wilde. Jij, Fabian?'

Als het etenstijd is, nodigt Marjan Fabian uit om mee uit eten te gaan. 'Als er in dit gat... sorry... als er in dit dorpje tenminste een eet-gelegenheid is. Ik bedoel nu niet een snackbar!'

Weer die irritante lach. Riekje vraagt waar ze denkt te gaan over-nachten. Aarzelend kijkt Marjan Fabian aan. 'Het is jouw ouderlijk huis, dus misschien...'

Manou gromt onhoorbaar. Straks denkt ze nog bij Fabian in bed te kunnen overnachten. Fabian kijkt onzeker de kamer rond. 'Riekje is de huurster, het hangt van haar af of je een plekje krijgt. Alle beschikbare kamers zijn in gebruik. Ik kan natuurlijk de nacht op de bank doorbrengen, dan krijg jij mijn bed. Maar op de vliering staat nog wel een veldbed. Ik heb wel op slechtere plaatsen geslapen.'

Dat is een uitkomst, vindt Marjan. Ze kijkt Riekje lief aan.

'Als jij er niets op tegen hebt, Riekje? Je hoeft Fabians bed voor mij niet te verschonen. Ons kent ons.'

'Dat valt wel mee,' zegt Fabian. Manou denkt: ik heb hem nog nooit zo onzeker gezien. 'Op de vliering liggen ook slaapzakken. Riekje, ik zorg zelf wel dat het in orde komt, maak je alsjeblieft niet druk.'

Marjan hult zich weer in haar suèdejas met bontkraag en roept dat het allemaal geweldig is. Ze moet alleen nog even naar mevrouw hiernaast om haar tassen te halen.

Maar mevrouw hiernaast is zelf zo attent om een zwaar gevulde weekendtas en een klein koffertje te komen brengen.

'Zo, Fabian, je hebt dus je vriendinnetje op bezoek. Leuk dat je ouders haar al kennen.'

Manou slaakt een zucht van verlichting als ze alleen met haar moe-der achterblijft.

Na het eten gaat Riekje aan de slag met de lijst meubels die ze wil verhuizen. 'Ik moet alles natuurlijk met Alex bespreken. We kunnen de boel niet volzetten met alles wat van twee huizen komt. Gelukkig dat jij die oude spullen van oma en opa Altena wilt hebben.'

Manou denkt met liefde aan 'de oude spullen', ze hunkert ernaar om ze in de was te zetten en te boenen tot alles glimt!

Emmelien is blij Manou weer in de winkel te zien. Hoe of het gaat met haar winkeltje?

Pas als Manou is uitverteld, ziet ze dat Emmeliens ogen dik en rood zijn. 'Em, wat scheelt er aan?'

Dat is net te veel. Emmelien huilt geluidloos. Twee beekjes zoeken over haar wangen een wegje. 'Natuurlijk dat met pa en mijn zus Margriet, maar ook Jelle zorgt ervoor dat ik wanhopig word. Zat hij maar ginds, bij zijn makkers! Hij is zo negatief, zo depri ook. En ik vraag me af of hij echt zoveel pijn heeft als hij beweert. Misschien is het een manier om aandacht te vragen. Als ik zeg dat hij dankbaar moet zijn nog te leven, is het huis te klein. Je had hem moeten horen toen ik voorstelde hulp te zoeken. Je hoort toch vaak dat jongens, die al die narigheid gezien hebben, er niet uitkomen?'

Manou probeert Emmelien op te beuren, wat niet echt lukt.

'Wat hebben we nog voor toekomst? Goed, ik wist voor we trouwden best dat hij nogal fanatiek is als het op zijn beroep aankomt. Maar hij is de enige niet die een nieuwe weg moet zoeken! Puckie is soms zelfs bang voor hem. Dan kruipt ze in de gang achter de jassen weg.'

Manou zegt nooit veel nagedacht te hebben over 'onze jongens' in oorlogsgebied. 'Hun problemen komen wel voorbij, op tv en in de krant. Maar dat betekent nog niet dat men zich in die situaties kan inleven. Ja, je hebt gelijk, je moet hulp zoeken voor het erger wordt. Zoek contact met zijn meerderen. Hij is vast en zeker geen uitzonderingsgeval.'

Emmelien doet de winkeldeur van het slot en zegt te verlangen naar de lente. 'Als hij naar buiten kan... Misschien met behulp van krukken of een wagentje zelf mensen kan bezoeken. Weet je wat hij zei toen ik dat te berde bracht? 'Hoor je de mensen in het dorp al kletsen? Die stakker, Jelle de Goede... oorlogsslachtoffer? Zal wel, hij krijgt mooi levenslang een uitkering! Dat soort dingen.' Nou, ik kan geen wijs woord met hem praten. Zelfs toen de dominee kwam werd hij grof. Met mijn verdriet om mijn familie kan ik niet eens bij mijn eigen man terecht!'

Gelukkig komen er al vroeg klanten. Manou beduidt Emmelien dat zij zich best even kan terugtrekken. Zoals ze eruitziet... Manou vreest dat als de klanten dat opmerken, de roddels eerder vandaag dan op een lentedag zullen beginnen.

Als de winkel om halfeen dichtgaat, is Emmelien weer de oude. 'Denk nu niet, Manou, dat jij je moet opofferen en hier hele dagen moet komen. Ik kan het best alleen af. Jij moet je nu concentreren op je hebbedingwinkeltje.'

Hebbeding. Leuke naam, bedenkt Manou als ze langs haar pandje komt.

'Manou' is ook de naam van meubels die van een soort riet zijn gemaakt. Misschien kan ze wat van dat soort voorwerpen aanschaffen. Schemerlampen, manden, een paar stoelen van manou. Het is een idee.

Eenmaal thuis vertelt Riekje dat Fabian en Marjan de hele ochtend op stap zijn. Hij wilde de plek laten zien waar zijn winkel komt en daarna begeleidt hij de gast naar een van de grote plaatsen in de buurt, omdat ze snakt naar een Hollandse stad. "Lekker winkelen!' Dat zei ze.' Riekje laat zich niet uit over wat ze van Marjan vindt. Ze is met zichzelf bezig. 'Het wordt allemaal nog haasten, Manou. Een paar maanden is niets. Gelukkig is Alex de kalmte zelf, niet zo jachtig als je vader kon zijn.'

Manou wil haar vader verdedigen. Was pa dan jachtig? 'Het ging soms ook om belangrijke zaken. De planning, hij was toch maar afhankelijk van zijn mensen.' Riekje lacht medelijdend. Manou en haar bewondering voor haar vader.

Die middag haast Manou zich naar haar winkeltje waar de klussers al bezig zijn. Wat of ze met het achtertuintje van plan is? 'Straks is het lente, dan kun je mooi in het zonnetje zitten.'

Een van de mannen zegt verstand van tuinen en terrassen te hebben en belooft een tekening te maken.

'Dat zelfgetimmerde afdak tegen de achtergevel moet je laten afbreken. Er een veranda van maken. Met een schommelstoel, net zoals je in die oude Amerikaanse films ziet.'

Dat lijkt Manou wel wat.

Het interieur van de voormalige kaaswinkel wordt gesloopt, de gehuurde container is daarmee al voor de helft gevuld. 'Opletten of voorbijgangers hun rommel er niet bij gooien,' moppert de man die de leiding heeft. Hij beweert dat het meestal raadzaam is de container niet voor de ochtend te laten brengen, want het is voorgekomen dat mensen hun afval in het donker in de bakken dumpten, zodat er meteen een nieuwe besteld moest worden.

De winkel is in korte tijd ontdaan van zijn gezicht. De vloertegels kunnen blijven liggen, de tegelzetter zegt eroverheen te kunnen tegelen.

Manou trekt zich terug in de bovenverdieping, waar de timmerman bezig is de keuken van nieuwe deurtjes te voorzien.

Hij werkt snel en begeleidt fluitend zijn getimmer. Manou kan precies horen wanneer het werk vlot en wanneer het tegendeel het geval is. Het majeur gaat dan in mineur over...

Er is niet veel meer voor haar te doen. In gedachten verdiept kijkt ze naar buiten. Het straatbeeld begint al vertrouwd te worden. Kijk nou toch... Vlak onder haar wandelt Fabian met Marjan aan zijn arm. Hij wijst op de winkel en houdt zijn pas in. Maakt een praatje met een van de werkers die hij kent. Marjan trekt hem ongeduldig met zich mee.

Manou kijkt hen na, tot ze in een jeanswinkel verdwijnen. 'Dus toch niet naar de stad?' mompelt ze tegen zichzelf.

De timmerman stoort haar in het zinloze gepeins. 'Kom maar eens kijken, Manou. Het is klaar. Ik zet de boel in de grondverf en lak het zaakje morgen af. Maar dan moet jij wel voor verf zorgen.'

Manou is van het ene moment op het andere in een beter humeur. 'Geweldig! Wat gaaf ziet alles er nu uit! De kleur... Wat zal ik kiezen? Misschien iets rustigs. Met details en allerlei spullen vrolijk ik het op. Misschien een witte tint?'

Weet ze wel hoeveel soorten wit er zijn? 'Het is maar van welke tint je uitgaat. Zullen we dan maar samen gaan kijken?'

Manou wil niets liever. Ze heeft zo goed als geen verstand van dat soort dingen. Een nieuw aanrechtblad moet er ook komen. En niet te vergeten vloertegeltjes.

'Het aanrechtblad moet rood worden. Dat past goed bij de lichte verf van de kastjes! En rood-witte vloertegels.'

Als ze 's avonds tegen etenstijd thuiskomt, ziet ze meteen dat Fabian in het nieuw is gehuld. Jeansbroek, natuurlijk de keus van Marjan.

Op tafel liggen foto's. Spanje, vrolijke mensen op terrassen en aan zee. 'Dat zijn de ouders van Fabian. Schatten, die twee!' reageert Marjan overdreven. Manou bestudeert de gezichten en ziet dat Fabian op beide ouders lijkt.

Het blijkt al snel dat Fabian en Marjan elkaar nader zijn gekomen. Marjan babbelt honderduit over de leuke stad die ze bezocht hebben. 'Apeldoorn, was ik nog nooit geweest. En morgen gaan we naar Arnhem of Zutphen, is het niet, lieverd?'

Manous hart krampt samen, zo lijkt het. Marjan heeft duidelijk Fabian in haar greep. Hij kijkt Marjan zo vriendelijk aan. En als ze met een vinger over zijn wang strijkt en roept dat je zijn baard kunt zíen groeien, weet ze het zeker. Die twee zijn voor elkaar gevallen. Dommerd dat ze zelf is! Waarom heeft ze niet gezien dat Fabian de meest begeerlijke man is die ze ooit heeft ontmoet?

'Het schijnt dat er zaterdag een leuk feest wordt gehouden in het hotel. Hoe heet het ook weer? Hotel Herwaarden. Ik wil weleens een dorpsfeest meemaken.'

Riekje zegt dat Marjan niet moet denken dat het een feest op klompen is. 'Dat is verleden tijd. Zelfs toen ik een meisje was werden dat soort volksfeesten niet meer gehouden.'

Waarop Fabian beweert dat er hartje zomer ter wille van het toerisme nog weleens een klompenfeest wordt georganiseerd. 'En een boerenmarkt waar je oude ambachten kunt bewonderen. Klompenmakers zitten er, mandenvlechters, dat soort mensen.'

'Ga jij ook naar het feest, Manou? Fabian en ik zijn in ieder geval van de partij.'

Manou haalt haar schouders op. Ze is niet zo'n feestnummer.

Heel langzaam zakt de vreugde om de leuke middag weg. Het was zo gezellig om met de timmerman verf uit te zoeken. De mogelijkheden maakten haar beduusd. Maar dankzij de vakman is het goedgekomen. Ook hebben ze muurverf voor de wanden gekocht. Bij elkaar passende tinten. En niet te vergeten het beschaafd rode aanrechtblad. Maar nee, ze heeft absoluut geen zin om verslag te doen.

Na het eten vertrekken Fabian en Marjan, zonder aan te bieden te helpen met afruimen en afwassen.

'We zijn laat thuis, Riekje. Fabian ontmoette vanmiddag in het dorp een stel vrienden met wie we naar de bioscoop in Apeldoorn gaan. Nieuwe Nederlandse productie met goede recensies. Heerlijk om weer in het land te zijn!'

Als Manou in de keuken het afgedroogde bestek in de lade opruimt, informeert Riekje naar de vorderingen in het winkeltje. Dan barst Manou los. Ze vertelt over de container die in korte tijd overvol was. Van de opgefriste keuken en de verfkeuzes. 'Ik voel geen vermoeidheid. Pas als ik me ontspan, zoals nu, merk ik dat ik ongewoon werk heb gedaan.'

Riekje kijkt Manou met een merkwaardige blik aan. 'Lieverd, ik weet zeker dat het een succes wordt. Ik vóel het. En ik gun het je zo!'

Dan herinnert Manou zich het verdrietige gezicht van Emmelien. 'Jelle schijnt zo moeilijk te zijn, mam. Emmelien ziet eruit als een geest.'

'Ze moeten zelf hulp zoeken, Manou. Je kunt meeleven, maar op sommige momenten moeten mensen zelf zien dat ze vastlopen en wát je ook met goede bedoelingen aandraagt, het is water naar de zee dragen. Mensen moeten willen!'

'Ja maar...'

'Denk er maar eens over na. Goede raad is duur en waarom? Omdat die bijna niet is te betalen. Grapje... Wel is het zo dat echt goede raad van een ervaren hulpverlener moet komen. Met lieve woordjes bereik je niets. Dat negatieve moet afgebroken worden en dan pas kun je met positieve bouwstenen beginnen.'

Manou is niet gewend dat haar moeder zulk soort dingen zegt.

'Ik begin het te zien, mam. Net als mijn winkeltje. In gedachten sta ik al te verkopen. Maar eerst moet de rommel eruit en wordt het een nog grotere troep. Maar als het leeg is, kan er geverfd en opgebouwd worden. Dat is toch iets om mee te nemen.'

Die avond, in bed, probeert Manou alles wat ze overdacht heeft, te ordenen.

Eén ding weet ze zeker: ze moet in gedachten Fabian naar de achtergrond schuiven. Wanneer hij als een blok voor een vrouw als die Marjan valt, is hij beslist niet de man die ze dacht dat hij was.

Het duurt lang, misschien vanwege de spierpijn, voor Manou Altena in slaap is.

11

DE WINTER LAAT ZICH NIET MEER ZIEN. HET LIJKT HERFST.

Maar daar trekken noch Manou, noch haar moeder zich iets van aan. Ze zijn te druk met hun leven te herscheppen.

Riekje en haar Alex hebben uiteindelijk de knoop doorgehakt en het huis van hun dromen gekocht. Riekje is in haar element! En Alex, goedig als hij is, geeft zijn aanstaande vrouw de vrije hand wat betreft de inrichting van hun huis.

Wat dat betreft staat Manou er alleen voor. Maar haar zul je daar niet over horen klagen. Ze is dolgelukkig om op eigen benen te mogen gaan staan. Het was anders geweest als haar vader nog geleefd had en de zaak haar aandacht vroeg.

Dankzij de vriendschap met Emmelien en Ron is ze in het dorp ingeburgerd. Ze wordt op verjaardagen en feestjes gevraagd.

Voor het eerst in haar leven heeft ze aandacht en tijd voor vrienden en vriendinnen.

En ja, sinds kort bezit ze een agenda voor haar persoonlijke afspraken! Het werken in de boekwinkel bouwt ze af. De sfeer is er, sinds Jelle thuis is, veranderd.

Lichamelijk gaat het steeds beter met hem, maar psychisch is hij niet meer de oude, volgens Emmelien en de familie.

Professionele hulp weigert hij. 'Ik ben niet gek!'

De enige met wie hij af en toe praat is Alex Moerman, die zelf enkele jaren in het leger heeft gezeten.

Manou heeft met het gezinnetje te doen, maar ze kan niet meer doen dan naar Emmelien en haar verhalen luisteren.

En ondertussen gaat de verbouwing in haar winkeltje gewoon door. Het schiet op en zeer binnenkort kan ze haar spullen tentoonstellen.

Ron is druk op de zaak van zijn vader en doet het werk van twee man. Daarom kon hij zich niet aan de afspraken met Manou houden om naar groothandels en beurzen te gaan.

Omdat Fabian nog steeds veel tijd met Marjan de Wit doorbrengt, durft Manou hem niet lastig te vallen, en dat is de reden dat Riekje en Alex haar hebben vergezeld. Riekje vooral is dik tevreden: het contact met haar dochter is beter dan ooit. Ze delen samen iets. Voorheen was dat het geval tussen Manou en haar man Ruud.

Manou ontloopt Fabian waar en wanneer ze maar kan. Marjan heeft een kamer in een pension gevonden, zodat Fabian weer in zijn eigen bed terechtkan. Niet alleen Fabian lijkt in de ban van Marjan, ze dringt zich op aan jongelui waar ze maar kan. Zelfs de Herwaardens lijken hun armen voor haar geopend te hebben.

Riekje probeert erachter te komen of Manou het zich aantrekt dat hun huisgenoot Fabian verkikkerd lijkt te zijn op Marjan de fotografe.

'Mam! Ik ben nog lang niet toe aan wat voor relatie ook. Ik heb altijd gewerkt voor pa... Met plezier, dat wel. Maar eerlijk, mam, ik heb nooit gewerkt aan het idee zélf mijn leven vorm te geven. Het was niet aan de orde.'

Als Riekje wil protesteren dat ze haar toch niet hebben gedwongen, haar hebben vastgehouden, valt Manou haar in de rede.

'Daar is geen sprake van! Alles is zo gegroeid en ik ben nooit ongelukkig geweest. Ik werkte graag met pa, dat weet je best, mama. Maar nu, na zijn dood... We zijn toch allebei in een gat gevallen. Jij hebt Alex gevonden en nieuwe plannen gesmeed. Geweldig... Je bent geen mens om alleen te blijven. En ik? Dankzij mevrouw Kelderman zijn mijn ogen opengegaan en heb ik leren inzien dat er maar één mens is die mijn toekomst kan uitstippelen, voor zover een mens dat kan, en dat ben ik zelf.'

Ja, ook Manou is veranderd, niet alleen haar moeder.

'Wees jij dan maar gelukkig, kind, met je winkeltje.'

En gelukkig, dat is Manou. De bovenverdieping is naar haar zin ingericht. Het wachten is op het bureau, de kast en de bureaustoel van haar vader.

Voor de ramen aan de voorkant heeft ze twee identieke en grote planten in zilverkleurige potten gezet. Riekje heeft haar een tv gegeven met een plat beeldscherm. En Alex is in de weer geweest met het aansluiten van de computer en toebehoren.

Het is een echt thuis geworden.

Er is niet alleen letterlijk werk aan de winkel en op de bovenverdieping, er is ook nog zoiets als een tuintje.

Tot haar vreugde heeft ze ontdekt dat er struiken staan die al beginnen uit te lopen en eronder bloeien sneeuwklokjes.

Ze plukt wat van het uitlopende groen en met sneeuwklokjes maakt ze er een beeldig boeketje van. Samen met Riekje brengt ze dat op een zondagmiddag naar mevrouw Van Tellingen, die met succes is geopereerd.

En het is Alex die een busje huurt waarmee ze naar Apeldoorn-Zuid rijden om de voorraden van de winkelierster te halen. De afspraak schijnt door Fabian vergeten te zijn.

De ingekochte en gekregen spulletjes krijgen in de winkel een plaatsje. Voor de ramen hebben de werklui kranten geplakt, zodat nieuwsgierigen niet de kans krijgen naar binnen te gluren.

Van collega-winkeliers heeft Manou begrepen dat ze voor hen een aparte ontvangst moet houden. Dat is zo de gewoonte.

Maar ze heeft nog steeds niet de goede naam gevonden.

Yes? Hebbes? Het winkeltje? Of gewoon: Manou?

Ze komt er niet uit.

Als ze van een bejaarde dame uit het dorp een antieke koperen kan cadeau krijgt die te mooi is om te verkopen, besluit ze het voorwerp in de etalage te plaatsen op een manier die laat zien dat het niet te koop is.

Zo komt het dat ze kiest voor: De Koperen Kan. Eindelijk een naam! In de kan zet Manou takken van een kastanjeboom die op de erafscheiding van haar tuintje met dat van de buren staat, waarop Riekje roept: 'Mevrouw Kelderman heeft gelijk, je bent écht creatief!'

Als de kassa is gebracht, moet Emmelien eraan te pas komen om

Manou tekst en uitleg te geven. 'En ik dacht nog wel dat ik het bij de aankoop allemaal had begrepen!'

Emmelien is verrukt van het winkeltje. 'Je hoort er nu echt bij. Geweldig!'

Ja, met Emmelien is Manou dik bevriend. Ze vertrouwen elkaar meer toe dan aan wie dan ook. Manou leeft mee als ze hoort dat het met Anton niet best gaat. Hij krijgt psychotherapie en schaamt zich daarvoor. Margriet heeft contact opgenomen en laten weten dat ze vanwege de leukemie in een Amsterdams ziekenhuis wordt opgenomen. De dorpelingen zijn onkundig van dat feit, maar leven wel mee met de ingestorte Anton.

Zijn toestand wordt er niet beter op. Niet alleen de familie, het hele dorp leeft mee. De belangstelling doet de betrokkenen goed, maar echt troost biedt het niet. Zelfs Riekje is onder de indruk.

'Nou ja, wat wil je? Een leeftijdsgenoot... Ik heb hem en de hele kliek per slot van rekening goed gekend. Ook al ben ik jaren wég van hier geweest.'

Riekje is zelden bezig met de computer, maar als Manou op een avond thuiskomt, vindt ze haar moeder boven op haar kamer, geconcentreerd starend naar het beeldscherm.

'Wat doe jij nou, mama? Ben je aan het daten? Is Alex uit de gratie?' grapt Manou als ze over de schouder van haar moeder meekijkt.

Haastig probeert Riekje de pagina waar ze in verdiept was, weg te klikken. Maar Manou heeft genoeg gezien. 'Waarom ben jij opeens zo geïnteresseerd in ziekte? In leukemie nog wel! Nou, vanwege het gepraat van Emmelien kan ik je daar heel wat over vertellen. Wat wilde je weten?'

Ze leunt op de schouders van haar moeder. 'Mam? Zeg eens wat.'

Ze schudt haar moeder zacht heen en weer. 'Je huilt, mam!'

Riekje drukt op de verkeerde toetsen en als ze de computer uit wil zetten, vergeet ze op een haar na de bezochte programma's af te sluiten. Manou duwt haar moeder iets opzij en verricht snel de juiste handelingen. 'Mam?'

Ze vraagt het op dringende toon.

Riekje snuit haar neus en kan niet verhinderen dat Manou haar tranen ziet. 'Ik... ik wilde alleen zien of het erfelijk is, dat het in de familie zit. Dat zou toch afschuwelijk zijn!'

Manou is dat met haar eens. 'Maar dat is niet zo, dat kan ik je zo vertellen. Emmelien, Ron en die andere zussen hoeven echt niet bang te zijn dat ze het ook hebben, mam. Waarom ben je zo ongerust over hen? Emmelien zie je nooit, en ik geloof dat je aan Ron een hekel hebt. Nou ja, vader Anton ken je van vroeger, maar je zegt zelf dat hij en zijn broer niet meer de jongens van toen zijn. Waarom ben je dan zo overstuur?'

Riekje hoort maar half wat Manou allemaal zegt.

Ze draait zich, zittend op de stoel, langzaam om.

'Erfelijk... Ik had het nog niet gevonden. Jij weet dat zeker? O kind, ik moet je iets vertellen!'

Daar komt het even niet van.

Fabian komt thuis en ze horen hem in de gang met Marjan praten. Ze lachen en zo te horen kunnen ze het met de dag beter vinden, zo samen.

Riekje krimpt in elkaar, rolt haar zakdoekje op tot een propje. Ze kijkt met haar mooie blauwe ogen, die vertroebeld zijn door de tranen, Manou aan.

'Vanavond moeten we praten. Ik moet je iets vertellen dat je leven op de kop zal zetten!'

Manou is ongerust. Dodelijk ongerust. Ze kan zich niet herinneren ooit haar moeder zo van streek te hebben gezien.

Nou ja, alleen dan toen haar vader onverwachts overleed. Maar wat kan er nou zo erg zijn dat dit gebeuren daarmee te vergelijken is?

Marjan en Fabian blijven eten. Fabian is enthousiast. De opgraving is eindelijk gestopt. Men verwacht niet dat er nog meer gevonden zal worden en zijn hulp is niet langer nodig.

'Natuurlijk zijn de archeologen verontwaardigd. Het liefst groeven ze het hele dorp af. Ze denken altijd dat ze ik weet niet wat missen.

131

Maar nu is het over en uit. Ik ben bij de projectontwikkelaar geweest in verband met de bouw van de winkels met wooneenheden erboven. Het gaat eindelijk gebeuren!'

Marjan zegt klagelijk dat ze als compagnon van Fabian mee wil rijden op zijn fiets. 'Maar dat durft hij niet aan. Hij beweert onderzoek gedaan te hebben en zegt dat er geen plaats is voor twee vakmensen. Nou, dat betwijfel ik, hoor.'

Manou en Riekje kost het moeite het gesprokene te volgen. Riekje mompelt iets over het avondeten als blijkt dat Fabian en Marjan geen plannen voor de avond hebben.

'En, Manou, hoe gaat het met de winkel? Wanneer ga je open?' informeert Fabian en het komt Manou voor alsof hij haar sinds weken weer ziet staan.

'Dat komt wel in de krant,' zegt ze snibbig en verlaat snel de kamer onder het mom dat ze haar moeder wil helpen met het klaarmaken van het avondeten.

Zwijgend doen ze hun werk. Manou ziet dat haar moeder hoogrode wangen heeft. Wat kan er zo erg zijn dat mam van streek is? Is ze bang om zelf ziek te worden? Heeft ze gezocht naar symptomen?

Het gesprek aan tafel wil niet erg vlotten. Marjan probeert Fabian over te halen zich te bedenken. 'Je zou toch mijn financiële inbreng goed kunnen gebruiken? Nu moet je het doen met leningen en hypotheken. Door mij erin te betrekken zou je beduidend minder zorgen hebben.' Dan vraagt ze hoe Manou dat allemaal heeft geregeld?

'Hm? Eh eh... wat vroeg je, wat wil je weten? Hoe hoog mijn hypotheek is? Dat gaat je niets aan!'

Marjan trekt een lelijk gezicht. 'Ach ja, jullie hebben een eigen zaak gehad, dus zitten jullie er warmpjes bij, neem ik aan. Ik weet zeker dat als jij aangeboden had samen te werken met Fabian, hij had toegehapt. Een vrouw met geld!'

Manou is dankbaar als ze de maaltijd afsluiten met een stil gebed. Ze verlangt terug naar vroeger, toen ze onbezorgd voortleefde en haar vader na het eten een kort dankgebed uitsprak. Toen waren ze nog een gezin.

'Mam, ik was wel af. Ga jij even liggen, dan kom ik straks met een kopje koffie bij je.'

Riekje is nog steeds zichzelf niet. Manou merkte best dat het haar moeite kostte een hap door de keel te krijgen.

Ze is traag, alsof het moeite kost de vatenkwast te hanteren.

Fabian is vertrokken, met Marjan in zijn kielzog. Manou hoopt niet mee te hoeven maken dat ze aankondigen een stel te zijn geworden. Als ze nou even wachten tot Pasen, dan zijn zij weg!

Manou zet koffie en sjokt met een blad naar boven. Ze vindt Riekje rechtop zittend in het bed. Kussens in de rug, bange ogen.

'Mama dan toch. Lieverd, drink eerst een beetje van de warme koffie. Daar knap je van op.'

Riekje gehoorzaamt als een klein kind.

Als ze het kopje halfleeg heeft, moet Manou het wegzetten en dan gooit ze er uit: 'Zeg op, Manou. Houd je van mij, net zoveel als je van je vader, ik bedoel Ruud, hebt gedaan?'

Manou verslikt zich in haar koffie en zet ook haar kopje weg. Ze zit op de rand van het bed en ervaart de situatie als onmogelijk. 'Mam, ik houd van je. En van pa heb ik ook gehouden, maar op een andere manier. We waren een soort compagnons, dat weet je toch wel? Kameraden...'

Opeens vat Riekje moed.

'Nou, dan moet het maar. Al loop ik het risico jou te verliezen. Het was dwaasheid van mij hier terug te willen komen. Terwijl ik wist dat er een risico was dat... Ik zal bij het begin beginnen. Val me niet in de rede.'

Daar peinst Manou niet over.

'Toen ik een meisje was – ik leek in niets op jou...'

Manou valt haar toch in de rede, ze glimlacht. 'Iemand zei me dat je nogal 'een wilde meid' was. Een feestnummer! Nee, dat heb ik niet van je geërfd.'

Riekje knikt.

'Ik was geliefd bij de jongens. Het ging er toen anders aan toe dan tegenwoordig. Ik geloof dat de jongelui nu zonder moeilijk te doen, met elkaar in bed springen. Nou ja, er ging vroeger weleens iets mis. Dat begrijp je. Het was niet zo erg als in de jaren veertig of vijftig als een stelletje gedwongen moest trouwen. Zo heette dat toen: als je zwanger werd 'moest' je trouwen. Een moetje. Nee, dat zou Riekje Brinkgreve niet overkomen!'

Manou knikt begrijpend. Haar moeder heeft ze in haar uitlatingen altijd preuts gevonden.

'Ik werd smoorverliefd...' Manou vult aan: 'Op papa!'

Maar Riekje schudt haar hoofd.

'Nee, op een van de jongens van Herwaarden. Ik was een van de weinigen die genade in hun ogen vond. Ik hoorde bij de clan, tot jaloezie van velen.'

'Ging je te ver met je vriendje?' vraagt Manou medelijdend. Echt iets voor mama om daarover te tobben, zich schuldig te voelen. 'Mam, dat hoef je mij toch niet allemaal te bekennen? Ik ben je dochter, niet je moeder! Je hoeft tegen mij niets op te biechten.'

Riekje krimpt in elkaar.

'Natuurlijk wel. Want ik werd zwanger van hem. Ik kreeg een kind. Paniek! Mijn ouders mochten het niet weten. Abortus bestond al wel, maar dat was geen optie. Radeloos was ik, want er was geen sprake van een verloving. Hij... hij had een oogje op een ander meisje. Ik was maar een tussenstop. Het gebeurde na een nogal wild feest, bij hen thuis. Na de familiebijeenkomst. Ik was zwanger van jou.'

Riekje kruipt bijna weg onder het dekbed. Om maar niet te hoeven zien hoe Manou reageert.

'Hm? Ik ben toch... pa is toch mijn vader? We hebben zoveel gemeen. Kom nou, mam...'

Maar Manou begint te begrijpen dat het de waarheid is die verteld wordt.

Riekje snikt. 'Zo radeloos als ik was. Zo ontzettend radeloos en door God, mijn ouders en hém verlaten... Toen kwam je... toen kwam Ruud in beeld. Hij had vakantie, liep gelijk stage in een bedrijf, een dorp verderop. En zocht hier vertier. Met pech aan zijn fiets belde hij bij ons aan. Maar dat weet je allemaal al. Hij zag mij meteen zitten. Hij was een stille jongen die niet opviel. Heel voorzichtig probeerde hij mijn aandacht te trekken. En ik... Ik zag opeens een uitweg. Ik ging op zijn avances in. De vriendinnen riepen om het hardst: wat moet jij met die slome duikelaar? Maar dat was hij niet. Hij was alleen anders dan de jongens die wij kenden.'

Riekje stikt bijna in haar bekentenis. Manou zit als verstijfd te luisteren en vreest te horen wat nog meer komt.

In huis is het stil, buiten joelen jongelui die op weg zijn naar de plaatselijke koopavond. In het buurhuis huilt een kind. Een vrachtwagen trekt ronkend op.

Riekje hapt naar adem.

Ze gluurt over de rand van het dekbed naar Manou. Maar ze kan niet raden wat er in haar hoofd omgaat. Ze zit stil, staart naar haar handen.

'Wil je niet weten wie het was?'

Manou zegt schor dat ze dat wel kan raden, ze is niet dom.

'Het was Anton. Daarom ben je van streek omdat je bang bent dat ik ook leukemie kan krijgen. Maar het is veel erger dat je papa hebt bedrogen!'

Riekje snikt nu luider. 'Ja, dat heb ik. Ik wilde hem vertellen dat hij niet jouw vader was. Na zijn stage wilde hij meteen een eigen bedrijf beginnen, zijn vader had geld genoeg om hem te helpen. Ik kon de moed niet vinden, omdat we besloten snel te trouwen omdat bij het bedrijf een klein huisje stond. Dat is later afgebroken. Voor je geboren werd.

Hij ging zo op in het bedrijf en hield onvoorwaardelijk van me. Ik schaamde me zo en wilde me niet vernederen. Uiteindelijk dacht ik: we krijgen nog wel meer kinderen. Kinderen van hém en mij. Maar dat gebeurde niet. En naarmate de tijd verstreek, Manou, durfde ik het niet meer en vaak vergat ik zelfs dat ik wat verborgen hield. Maar ik durfde absoluut niet met hem hier naartoe... Ik was bang dat hij zelf ontdekkingen zou doen. Want een kind kan zien dat jij een Herwaarden bent. Arme Ruud!'

Manou schrikt overeind en nu ziet Riekje pas dat Manou geluidloos huilt. 'Het ergste vind ik dat je met papa bent getrouwd zonder van hem te houden. Hem hebt bedrogen!'

Riekje balt haar vuisten en stompt ze in de lucht. 'Maar ik hield wél van hem. Alleen op een andere manier. Anton was... nou ja, het was een puur lichamelijke kwestie. Ik weet niet of jij dat kunt begrijpen, jouw hormonen zijn niet zo actief, geloof ik.'

Manou gromt. Niet actief. Nee, ze vertelt haar moeder niet wat er zoal in haar omgaat op dat gebied!

'Je moet me geloven, ik ben van hem gaan houden en als ik had moeten kiezen was híj het geweest met wie ik oud wilde worden. Zeker niet met Anton. Maar nu is hij ziek. Voor ieder mens geldt dat het leven opeens afgelopen kan zijn, dat zag je bij Ruud. Wat als Anton zou sterven, zonder dat hij weet dat hij nóg een kind heeft? Alex zegt dat we het voor ons moeten houden. Ja, ik was zo wanhopig, dat ik iemand in vertrouwen moest nemen. Nu weet je ook waarom ik vreesde dat je iets voor Ron Herwaarden zou gaan voelen. Dan moest ik met mijn geheim voor de dag komen.

Ik voelde me tegenover jou vaak zo... zo gemeen. Ik wilde altijd al dat je het zou weten. Dat papa er nu niet meer is, maakt het wel wat gemakkelijker. Ik moet leren leven met het feit dat ik tegen hem heb... gelogen. Met God ben ik uiteindelijk wel in het reine gekomen. Wie van u zonder zonde is... Je weet wel. En ik ben altijd erg gelukkig met jou geweest.' Riekje zwijgt even, gaat dan verder.

'Kind...' Ze probeert Manous blik vast te houden. 'Ik wil je om vergeving vragen. Ook al gaat het je niets aan met wie ik... Maar je moet het weten, alleen al vanwege Ron!'

Manou begrijpt nu waarom ze zich zo tot Ron en Emmelien aangetrokken voelde. Broer en zus. Halfbroer en -zus. Niet te vergeten tante Louise die meteen de gelijkenis zag!

'Hoe nu verder, mama? Ik heb niets te vergeven. Alleen papa... hem ging het aan. Maar het is goed het te weten. Wees niet bang, ik heb met Ron zelfs niet gezoend. Ook al zijn er momenten geweest dat ik het wel gewild had!'

Riekje moet opeens glimlachen. 'Geen wonder. Hij is een echte Herwaarden!'

Zoals gewoonlijk overdenkt Manou, opgerold als een ongeboren baby, in bed dat nieuwe, dat onmogelijke wat haar ter ore is gekomen. Papa is niet haar vader, maar Anton Herwaarden.

Klaarwakker, met wijd geopende ogen ligt ze in het donker van de nacht. Heel af en toe flitsen de koplichten van een passerende auto over het plafond en langs een muur. De overgordijnen sluit ze nooit helemaal.

Na lang piekeren komt ze tot de conclusie dat ze alles wat haar moeder heeft opgebiecht het beste in vakjes kan verdelen. Ten eerste het feit dat mam met een leugen het huwelijk is ingegaan en de integere Ruud nooit verteld heeft dat zijn geliefde dochter niet van hém was.

Het tweede punt: wat moet ze ermee aan nu ze weet dat ze een van de kinderen van Anton Herwaarden is? Zeker weten dat ze hun geheim niet openbaar zal maken! Als het aan haar ligt, nooit.

Heel haar leven, haar herinneringen vooral, worden anders belicht. Leven met leugens. Ron, Emmelien, Hanna en de haar onbekende Margriet zijn haar broer en zussen. Te bedenken dat de kleine Puckie haar nichtje is!

Dan is er nog een derde vakje: en wel Riekje, haar moeder.

Ze is niet de enige vrouw die dit allemaal is overkomen.

Het is niet aan háár, Manou, haar moeder te veroordelen. Want wie zonder zonde is, werpe de eerste steen. Zo is het toch? Er is niemand zondeloos. Alleen Jezus Christus, de Heiland.

Papa is er niet meer, Anton is psychisch een wrak.

Manou woelt en woelt, haar ogen voelen droog aan van niet gehuilde tranen. Waren ze maar nooit naar de Veluwe teruggegaan. Zou het mogelijk zijn dat Riekje hoopte dat Manou zelf zou ontdekken dat ze hier familiebanden heeft?

Eén ding is zeker: als ze dit allemaal een paar maanden eerder had vernomen, zou ze zich nooit in Hoogwouden gevestigd hebben.

De laatste gedachte voor ze in slaap valt is: kan ik het tij nog keren, kan ik alles terugdraaien?

12

TEGEN HAAR GEWOONTE IN IS RIEKJE HET EERST OP, DIE VOLGENDE morgen. In de keuken heeft ze op de kleine tafel een uitgebreid ontbijt gemaakt. Eitjes gekookt, sap geperst en een pot thee gezet. Als Manou beneden komt, springen net de eerste boterhammen omhoog in het rooster.

Aan Riekje is te zien dat ook zij slecht heeft geslapen. Manou kust haar moeder op de wang. 'Môgge, mam! Ook zo héérlijk geslapen?' vraagt ze, in een poging lucht te klaren.

'Eigenlijk had ik dat wel moeten kunnen, nu ik schoon schip heb gemaakt. Jij hebt natuurlijk de hele nacht liggen tobben en je vraagt je af hoe jij aan zo'n slechte moeder komt.'

Manou slaat haar beide armen om haar tengere moeder heen.

'Mam, nu moet je de rest van je leven niet gebukt gaan onder feiten die niet te veranderen zijn. Natuurlijk heb ik liggen nadenken en bedacht dat ik één ding wilde: me hier niet vastgelegd te hebben. Had het me maar eerder verteld, mam, dan was ik ergens anders begonnen. Misschien is het nog mogelijk alles te verkopen, wie weet.'

Riekje snuft en Manou voelt hoe ze verstart. 'Manou, ik heb me mijn hele huwelijk lang als een verstoteling gevoeld. Een soort asielzoekster. Ik hóórde daar niet, in de polder. Ook al waren pa en jij daar, altijd droomde ik ervan om naar huis te gaan. En ja, het leek logisch dat we samen gingen. En geloof me, ik was echt niet van plan me op Anton Herwaarden te storten. Die man is gelukkig getrouwd, heb ik begrepen. En híj is waarschijnlijk allang vergeten dat hij destijds te ver is gegaan. Nou ja, ik was er zelf bij en vond het heftig dat ik een Herwaarden zover had gekregen, maar dat is niet te prijzen, ik weet het.'

Ze maakt Manous armen los en gaat zitten. Zo in haar ochtendjas lijkt ze jong en weerloos. Maar Manou weet dat haar moeder een harde kern heeft.

Ondanks alles laten beiden zich het ontbijt goed smaken. Riekje wil Manou aan het praten krijgen. Hoe ziet ze haar moeder nu? Is ze van een voetstuk gevallen? Maar nee, Riekje is bepaald geen moeder geweest die op een voetstuk stond, vindt ze zelf.

'Houd daarover op, mam. Ik ben volwassen, papa is er niet meer. We spreken af dat we het onder ons houden. Ik zie er wel mee klaar te komen. Het is niet anders. Straks stort ik me op De Koperen Kan. Wie weet raakt het allemaal wat op de achtergrond – maar het is wel goed dat je er met Alex over hebt gepraat.'

Riekje begint te stralen en veegt een pluk blond haar van haar voorhoofd. 'Alex? Hij is het beste wat me ooit is overkomen. Op Anton was ik smoor, net als de helft van de meiden uit Hoogwouden. Je vader was mijn beschermer, mijn zeer gewaardeerde man. Maar Alex is mijn maatje. Voel je de verschillen? Als ik tijdens mijn huwelijk Alex ontmoet had, zou ik papa nooit verlaten hebben. Niet voor hem en niet voor wie dan ook.'

Manou knikt. Niet iedereen is het gegeven een huwelijk te hebben dat met het klimmen der jaren wint aan liefde en trouwe vriendschap. Ze had alleen dit soort dingen nooit achter haar moeder gezocht. Mam praat nu met haar alsof ze zussen zijn, nichtjes, of heel goede vriendinnen.

En dat is wennen.

Wat Manou vandaag denkt te gaan doen?

Manou mept haar lege eierdop in elkaar. 'Gelukkig hoef ik vandaag niet naar de boekwinkel. Want het is raar om te beseffen dat Emmelien mijn halfzus is. Wel, ik ga in De Koperen Kan alles nalopen. Er zíjn om te wennen en, mam, ik denk dat ik er heel gauw ga wonen. Dan eten we wel samen, als jij tenminste niet met Alex in de weer bent. Misschien kan ik al dat nieuwe beter verwerken als ik op mezelf woon.'

Riekje knikt. Ze is opgelucht dat Manou het op een redelijke manier heeft opgevat. Ja, Alex had gelijk om haar te motiveren alles aan Manou op te biechten.

'De tuin, mam, ik heb zo'n aardig tuintje. Een van de timmermannen maakt een terrasje van houten vlonders in combinatie met tegels en stenen. En er bloeit al van alles, maar dat heb je gezien: het boeketje dat we naar mevrouw Van Tellingen hebben gebracht.'

Riekje dringt erop aan dat Manou vooral controleert of alles voor de opening op tijd wordt bezorgd. 'Ik weet dat je het bij Hotel Herwaarden hebt besteld, maar toch.'

Manou trekt een lang gezicht en zegt plagerig: 'Ik zou als familie toch eigenlijk om korting kunnen vragen!'

Riekje wordt vuurrood en het dringt intens tot haar door: zolang ze leeft zal ze op een of andere manier regelmatig met dat, wat ze 'haar misstap' noemt, geconfronteerd worden.

Manou is meer dan tevreden met de uitstraling die haar winkeltje heeft. Ze haalt als laatste activiteit de kranten voor de ramen weg en poetst het glas zo schoon dat men er zich in kan spiegelen. Natuurlijk stoppen winkelende mensen even om naar binnen te gluren. Dat is een van de dingen waar ze aan zal moeten wennen.

Er worden bloemstukken bezorgd. Van medewinkeliers, van de nieuwe vrienden. Fabian laat niets bezorgen, maar komt met een boompje met kluit aanzetten. 'Dit is een acer, lieve meid. Hij krijgt rood blad en in de herfst zal hij je verrassen met de kleur.'

Manou is verbaasd en blij tegelijk. 'Fabian dan toch, te gek, zeg! Ik ken die struik goed, ik zal je vertellen dat we die bij ons huis in de polder ook hadden staan en echt, soms míste ik de boompjes. Ik had ze samen met mijn vader geplant, moet je weten.' Ze bloost zo fel dat het pijn doet. Mijn vader, een leugen!

Néé! Hij is en blijft de man die haar heeft grootgebracht, van wie ze hield en aan wie ze nog vaak denkt. Van wie ze zoveel heeft geleerd. Hij was haar voorbeeld. Perfectie in het werk. Ordelijk. Bedachtzaam en vriendelijk voor eenieder die zijn wegen kruiste.

'Je mag me er een zoen voor geven,' plaagt Fabian, die haar blos verkeerd uitlegt.

'Pas als hij in de grond staat,' geeft ze vlot ten antwoord. Geen probleem, Fabian heeft een schop en kunstmest bij zich in de auto.

Manou moet zeggen waar ze het boompje wil hebben. 'Hij wordt niet erg groot en misschien is 't leuk als je hem vanaf je balkonnetje kunt zien.'

De timmerman is klaar en bekijkt tevreden zijn werk. Hij helpt Fabian met het planten, Manou kijkt toe.

'Nog aanstampen,' is het advies van de timmer-tuinman.

Hij laat hen na een vrolijke groet alleen. Fabian tikt op zijn ene wang. 'De beloning. Liever gezegd: het bedankje.'

Manou kijkt naar zijn stoppels en denkt aan het rozerode mondje van Marjan. Ze doet een stap achteruit. 'Is de acer van jou alleen of moet ik háár, ik bedoel Marjan, ook bedanken?'

'Maakt dat verschil?' vist Fabian. Hij zet de schop tegen de muur en schudt Manou zacht door elkaar. 'Jullie vrouwmensen zijn soms niet te volgen. Nee, dit is mijn persoonlijk geschenk aan jou en zelf uitgezocht in tuinderij Herwaarden.' Manou schiet bijna in de houding als ze de naam Herwaarden hoort.

Fabian buigt zijn hoofd zodat het op de hoogte van Manous gezicht is. Haastig drukt ze een vluchtig zoentje op de stoppels. 'Je prikt!' zegt ze beschuldigend. Fabian grinnikt.

Of hij haar verder nog ergens mee kan helpen?

Manou schudt haar hoofd. 'Wil je boven het bureau van mijn vader zien? Het is wel wat pompeus, maar ik ben eraan gehecht.'

Hij loopt over de pas beklede trap naar boven, snuift de geur van vloerbedekking en verf met behagen op. 'Van die geurtjes zou men een luchtverfrisser moeten maken.'

De spullen uit het grootouderlijk huis van Manou worden bewonderd en Fabian zegt dat hij zulk soort erfstukken niet heeft. Waarop Manou schrikt: papa's ouders zijn immers niet háár opa en oma.

Ze kijkt, even later, Fabian na die wegrijdt. En met bittere spijt bedenkt Manou dat ze dom is geweest zich pas na de komst van Marjan te realiseren dat Fabian Goossen haar niet onverschillig laat.

Voor het openingsfeestje hebben Manou en Riekje zich in het nieuw gestoken. Riekje roemt de catering alsof ze er zelf aandelen in had.

'Alles wat ze aanpakken verandert in goud,' verzucht ze. Manou beheerst zich want ze had willen zeggen: 'Ik ben anders van vlees en bloed... Geen goud aan mij te bekennen.'

Emmelien is de eerste die acte de présence geeft. 'Ik wil zien of ik helpen kan.'

Mijn zusje, denkt Manou en als ze even later steels in een goud omrande spiegel kijkt, staand naast Emmelien, ziet ze wat anderen ongetwijfeld ook moet opvallen: ze lijken op elkaar.

De tweede bezoeker is Ron, die zegt dat hij in de garage zijn handen uit de mouwen moest steken in verband met zieke monteurs. Het werk moet doorgaan. Service is hun handelsmerk.

'Maar mijn handen zijn schoon genoeg, kijk maar!' Zijn bruine ogen, dezelfde als die van Manou, kijken haar trouwhartig aan. En Manou denkt: Ik houd van je. Als van een lievelingsbroer.

De winkel is niet groot en alle bezoekers die verwacht worden kunnen er onmogelijk gelijk in. En omdat het lenteweer onverwacht zacht is, heeft Riekje voorgesteld de tuindeuren te openen.

'Kunnen de mensen met hun glas in de ene hand en een snack in de andere zich op je terras vertreden.'

Het wordt, hoe kan het anders na een zorgvuldige voorbereiding, een succesvolle middag. Men brengt geschenken mee, bloemen en wat dies meer zij.

Tegen het eind van de middag zijn Manous wangen bijna purper, alsof ze heftig aan de wijn is geweest. Wat niet het geval is!

De volgende dag is De Koperen Kan open voor klanten en kijkers. Na hun aankoop afgerekend te hebben, krijgt iedere koper een leuk, klein kaarsenhoudertje als openingsgeschenk.

De eerste week heeft Manou het overstelpend druk, maar al vrij snel heeft ze het ritme te pakken. Het is natuurlijk een ander soort werk dan ze thuis deed, maar het geeft meer voldoening. Dat doet vooral mevrouw Kelderman goed.

Als Riekje meedeelt dat ze samen met Manou een dag naar het oude huis moet om bepaalde zaken te regelen, staat Manou voor een probleem.

'Ik kan De Koperen Kan niet zonder meer sluiten, mama. Dat moet je toch begrijpen.'

Riekje is het met haar eens en vertelt al een invalster te hebben.

'Wie mag dát dan wel zijn?'

'Ietje.'

'Ietje?! Van hiernaast? Hoe kom je erbij iemand te regelen zonder mij erin te kennen. Hoe weet ik of Ietje capabel is voor dit werk? Mam dan toch!'

Riekje moppert dat Manou haar dankbaar moet zijn. 'Ik denk met je mee. Ietje heeft, voor ze trouwde, in de kaaswinkel gewerkt.'

'Nou, dat helpt. Kaas verkopen is wel wat anders dan mensen helpen met het vinden van een cadeautje.'

Manou heeft geen keus. Ietje brengt op de bewuste dag haar kleine Tommy naar een vriendin en zegt daar geen probleem mee te hebben.

Als moeder en dochter naar de polder rijden, ontdekt Manou onderweg dat het lente is geworden. Struiken zijn al uitgelopen, in de weilanden ziet het geel van de paardenbloemen en de lucht is stralend blauw met een paar schapenwolkjes.

'Gunst, mam, het is in één keer voorjaar!'

De tuin van hun oude huis is een plaatje, wat Manou een brok in de keel bezorgt. Riekje heeft een afspraak met de makelaar. Hij heeft gesleuteld aan de prijs en uiteindelijk zijn ze het telefonisch eens geworden.

De nieuwe eigenaar van het bedrijf is in zijn sas met de aankoop en is al actief geweest. In een van de opslagruimtes staan de spullen die verhuisd moeten worden, keurig bij elkaar.

Riekje maakt een afspraak wat betreft de bezorging. 'Ik betaal natuurlijk!' Maar daar wil de opvolger van Ruud Altena niets van horen.

Vroeger dan verwacht keren ze huiswaarts. 'Je had het best alleen gekund,' moppert Manou.

Riekje bekent dat ze ten diepste onzeker is. 'Ik had je steun echt nodig. Zo, nu is bijna alles rond. Vanavond spreken Alex en ik een datum af wanneer we denken te trouwen. Tja, afwachten wat de familie van Ruud zal zeggen. Moet ik ze eigenlijk wel een kaart sturen? Ik heb niets meer met die mensen.'

Manou begrijpt dat haar moeder zich geneert nog voor er een jaar om is opnieuw in de huwelijksboot te stappen. Zelf ziet ze het anders, vooral nu ze moeders vertrouwelinge is geworden.

'We houden het rustig. Geen receptie. De kennissen krijgen achteraf bericht. Zo doen we het. We zullen met maar een klein groepje zijn. Ik nodig wel twee vriendinnen uit met wie ik de laatste tijd alleen telefonisch contact heb gehad, en Alex beweert er niet omheen te kunnen een paar goede relaties te vragen. Mensen uit zijn voormalig werk. Nou ja, Fabian krijgt een uitnodiging, hij is huisgenoot. Maar die vriendin van hem mag thuisblijven. En de buren rechts en links... Het zal wel vreemd zijn: een kerkdienst met zo weinig mensen. Maar ja, het is niet anders. Ik kan moeilijk me in het wit hullen en jou vragen de sleep te dragen...'

Het huis van Riekje en Alex kan de zending oude meubelen bijna niet aan. Er moet alsnog veel weg. En ook Manou zegt niets meer te kunnen gebruiken.

'Het zijn luxeproblemen, mam. Zet de boel maar op internet of bel de winkel voor tweedehandsspul. Wat ik wel weet, is dat zij erg kritisch zijn.'

Uiteindelijk vinden alle stukken een bestemming. Riekje vindt dat het huis een echt 'thuis' is geworden. Alsof ze nooit eerder een eigen *home* heeft gehad.

Als Manou na de wekelijkse koopavond nog een halfuurtje bezig is, wordt er op de gesloten winkeldeur geklopt.

Ze wijst op het bordje 'Gesloten' dat achter het glas hangt, maar dan ziet ze wie er geklopt heeft. 'Ron!'

Ze draait spontaan de sleutel om en doet een pas opzij om hem binnen te laten.

'Ik dacht: nu moet het er maar van komen. Waarom laat jij je nooit meer zien? Emmelien klaagde straks nog steen en been. We missen je.'

Manou verschiet van kleur. Ron, haar halfbroer.

Hij legt zijn handen op haar schouders en drukt een kus op haar voorhoofd. 'Meisje dan toch. Het is niet iets om te huilen, kom nou! Het is alleen... Nou ja, we missen je zo.'

Omdat in de winkel nog licht brandt, blijven voorbijgangers aarzelend staan.

'Kom even mee naar boven, ik ben toe aan een kop koffie. Kunnen we even bijpraten. Weet je, ik ben erg druk, alles moest wennen. Klagen mag ik niet.'

Achter elkaar lopen ze de trap op en eenmaal in de gezellige kamer merkt Ron dat Manou haar huis heeft ingeleefd. Er staan verse bloemen op de tafel en haar bureau is bezaaid met papieren, pennen en soortgelijk spul.

Hij loopt achter haar aan als ze naar de keuken gaat.

'Heb jij me dan helemaal niet gemist? Ik dacht dat we vrienden waren, Manou.'

Manou slikt krampachtig terwijl ze automatisch de juiste handelingen verricht. Haar handen trillen als ze kopjes klaar zet. 'Zeg me eerst eens hoe het met Jelle gaat.'

Ron leunt tegen de keukentafel, de armen gevouwen en benen over elkaar geslagen. Hij volgt Manous bewegingen en ziet haar nervositeit. Is hij daar de reden van?

'Jelle? Lichamelijk is hij redelijk goed te pas. Er is geen sprake van dat hij terugkan in het leger en daar heeft hij het moeilijk mee. Maar dat is niet anders. Het is zwaar voor Emmelien. Maar Alex is een goede hulp. Een therapeut kan hem niet verbeteren. Wat Jelle nodig heeft: af en toe moet iemand hem eens flink de les lezen. Met de neus op de feiten drukken. Anderen zijn omgekomen, hij heeft geluk gehad. Emmelien zegt dat hij nachtmerries heeft en dat is geen wonder.'

Manou schenkt de koffie in. In de kamer knipt ze schemerlampjes aan, wat de sfeer verhoogt.

Als ze tegenover elkaar zitten, drinken ze zwijgend hun kopjes leeg. Ze beginnen gelijk te praten. Ron maakt een handbeweging. *'Ladies first,'* zegt hij.

'Ik wil vragen hoe het met je vader gaat. En is er nog nieuws over je zus Margriet? Slaat de behandeling aan? Waarom die geheimzinnigheid? Ziekte is geen schande. Nou ja, dat ze het contact heeft verbroken, is natuurlijk nogal heftig geweest.'

Ron reageert: 'We zijn een sterk geslacht. Behalve dan als het om de liefde gaat. Dan worden we week. Manou! Heb je dan niet begrepen dat ik...'

Manou verschiet van kleur. Nu moet ze liegen. Zeggen dat ze nooit om hem heeft gegeven. Of...

Ron kijkt haar verlangend aan.

Maar een geheim is een geheim.

Hij wil opstaan, naar haar toelopen, maar Manou weert hem af. 'Ik zie toch dat je verdrietig bent, waarom mag ik je niet troosten?' zegt hij verward.

Manou heft beide handen op en weet niet wat te zeggen, weet niet hoe te reageren. Want wat ze ook zegt, het zal niet de waarheid zijn. Ze wil Ron niet kwetsen, daarvoor is ze te veel op hem gesteld.

Met haar moeder praat ze nog maar zelden over het verleden. Terwijl ze er beiden zelf wel mee bezig zijn. Het vreemde idee dat ze geen Altena is, wil er nog niet goed in. Maar nu, nu moet ze Ron een halt toeroepen voor hij dingen zegt die niet gezegd mogen worden. Dat wat is uitgesproken, blijft léven. Zover mag ze het niet laten komen.

Ze zet haar lege kop-en-schotel op de grond naast haar stoel.

'Ron, lieve Ron, ik moet je iets bekennen.'

Ron leunt achterover en sluit zijn ogen. 'Er is een ander. Laat me raden... Fabian? Iemand uit de polder?'

'Néé, néé!'

Manou vecht met haar gedachten. Dan neemt ze een besluit.

'Beloof me dat je wat ik je nu vertel, nooit aan wie dan ook zegt. Dat eis ik van je. Ja?'

Ron opent zijn ogen wijd en kijkt Manou verbijsterd aan.

Dan komt ze op een idee.

'Weet je nog dat ik een gesprekje heb gehad met tante Louise op jullie familiefeest?'

Dat herinnert hij zich. Maar wat zou dat?

'Ze dacht dat we verwant waren. Of ik soms een afstammeling van de Groningse tak was. O nee, dat bedacht jij... Nou, je had het bijna goed, Ron. We hebben hetzelfde bloed in onze aderen. Je begrijpt wat dat betekent en misschien ook wel waarom we ons tot elkaar aangetrokken voelen.'

Ron schudt ongelovig zijn hoofd. 'Kom nou! Moet ik dat geloven? Wie mag dan je vader wel zijn? Kies er maar één uit, Herwaardens genoeg. En sinds wanneer weet jij dat?'

Manou raakt in paniek. Hij gelooft haar niet. Moet ze echt verdergaan?

'Het is waar. Ik wil niet zover gaan dat ik mijn moeders geheim verklap. Niemand weet ervan. Alleen mam en ik, en natuurlijk Alex. Niemand heeft er wat mee te maken en als ik het van tevoren had geweten, zou ik nooit met mijn moeder zijn meegegaan.'

Ron springt op, ijsbeert door de kamer. Blijft vlak voor haar staan. 'Je wilt me toch niet wijsmaken dat mijn vader je moeder zwanger heeft gemaakt? Ik heb horen vertellen dat je moeder een vrolijke meid is geweest... Manou?'

Ze krimpt in elkaar. Wat nu? Mama's goede naam te grabbel gooien? Maar nee, dat ziet ze fout. Mannen krijgen nu eenmaal zélf geen kinderen. Terwijl vrouwen die zwanger zijn niet kunnen ontkennen gemeenschap gehad te hebben.

Ze haalt haar schouders op bij gebrek aan een goed antwoord.

'Jij snapt toch wel, Manou, dat ik je pas geloof als je oprecht bent? Wie is je vader? Wacht eens!'

Hij schudt haar, gebogen over de stoel, onzacht door elkaar.

'Wie was het die zei dat pa en jouw moeder vroeger een scharreltje hebben gehad? Natuurlijk... die twee... Het wordt me duidelijk.'

Hij laat haar los en gaat voor het raam staan, starend in het donker.

Manou huilt geluidloos. Kijk nou toch wat de waarheid voor ellende met zich meebrengt. Maar hoe had ze Ron ánders kunnen overtuigen?

'Dus jij bent mijn halfzusje. Vandaar. Natuurlijk, nu zie ik het ook. Jij lijkt op Hanna. Zeker weten. Manou Herwaarden... Zo is het toch?'

'Houd het voor je! Doe mijn moeder niet aan dat je het rondvertelt. Denk aan je eigen moeder, voor haar zou het een ramp zijn, denk ik... En je vader? Hij en mam hebben nauwelijks iets samen gehad. O, wat ellendig dat ik het verteld heb!'

Ron vecht in stilte met zijn gevoelens. Van alles had hij verwacht. Manou met een ander, daar zou hij absoluut een stokje voor hebben gestoken. Maar tegen deze waarheid kan hij niet op. Daar zijn geen wapens voor.

'Zusje. Tja, dat is wennen. Denk je heus dat je zoiets levenslang geheim kunt houden? Tante Louise is niet de enige die slim is. Ik denk dat, toen het gebeurde, pa en ma al een relatie hadden, pa kennende. Nou ja, je begrijpt me zo ook wel. Inderdaad, waren jullie hier maar nooit gekomen. Hoe denk jij je hier te kunnen handhaven?'

Ron draait zich om.

Manou zit nog steeds in elkaar gedoken.

'Ik denk er dan ook over de zaak te verkopen, zo snel mogelijk. Wat mam doet, moet ze zelf weten. Het... het spijt me zo, Ron.'

Ron zoekt zijn stoel weer op. 'Het is niet anders. Dat kan er nog wel bij. Jelle psychisch verminkt, mijn vader een wrak, mijn zusje nog net niet opgegeven... En nu dit. Ik beloof je dat ik zal zwijgen. Hoewel ik vind dat de anderen, pa en mijn zussen, recht hebben om het te weten. Mijn moeder zou het uiteindelijk ook afdoen met een 'jeugdzonde'.'

Manou zegt hees: 'Bedankt. Dat ben ik dus, de jeugdzonde. Manou de jeugdzonde. Weet je nog meer van dat soort woorden?'

Ron mompelt een excuus.

Hij veegt over zijn gezicht, rukt aan de slippen van zijn colbert en kamt met twee handen door zijn donkere haar, dat slap over het voorhoofd hangt.

'Dag, Manou. Misschien ben ik je ooit dankbaar voor de bekentenis. En ik zal mijn best doen het voor me te houden. En ik neem je kwalijk dat je het me niet meteen hebt verteld toen je het wist. Ik dacht dat we vrienden waren.'

Manou huilt geluidloos. Machteloos voelt ze zich. Ze wil hem troosten. Haar armen om hem heen slaan. Maar ze is doodsbenauwd voor een afwijzing.

'We waren... we blijven toch ook vrienden, Ron? We begrijpen elkaar zonder woorden. Sommige mannen zijn stapeldol op hun zus, blijven elkaar dwars door alles heen trouw. Dat kan toch? Voor mij is het ook niet gemakkelijk.'

Ron wil de kamer uit lopen, bedenkt zich en loopt naar Manou toe. Hij pakt haar handen en trekt haar omhoog uit de stoel. Opeens slaat hij zijn armen om haar heen, houdt haar dicht tegen zich aan. Ze voelt zijn hart bonzen.

Doodstil staan ze zo een moment.

Aan de overkant van de straat loopt een man, die zojuist poststukken naar de brievenbus heeft gebracht. Hij kijkt, zoals gewoonlijk, op naar de bovenverdieping van De Koperen Kan, in de hoop de eigenaresse te zien. En dit keer ziet hij haar inderdaad. Maar ze is niet alleen. Twee silhouetten verenigd tot één persoon. Even blijft hij staan.

Voor de zekerheid. Dan vervolgt hij zijn weg, het hoofd gebogen.

Manou wil niet de eerste zijn die zich losmaakt. Het is een teer moment, iets dat op een afscheid lijkt.

'Dat was het dan... We komen er wel overheen. Hoe zeggen ze dat tegenwoordig zo mooi? Het moet een plaatsje krijgen. Ik zal mijn best doen.'

Dan kust hij haar liefdevol op het voorhoofd. 'Dag, Manou.'

Ze legt haar armen om zijn hals en kust hem terug. Ergens op een wang. 'Dag, mijn broertje...'

Ron draaft de trap af. Dendert door het winkeltje en laat zichzelf uit. Lopen tot je niet meer verder kunt. Ruim een uur later vindt hij zichzelf terug aan de rand van het dorp. Zijn mobieltje roept hem terug tot het hier en nu.

Manou zit, na zijn vertrek, nog lang verstard op de bank in haar kamer. Tot ze zich realiseert dat de winkeldeur niet op slot is. Stijf, alsof ze herstellende is van een zware griep, sukkelt ze de trap af. Ze lijkt mevrouw Van Tellingen wel, zo moeilijk loopt ze.

Dominostenen, dat is het goede woord. Vanaf dat mam haar 'het' vertelde, viel er een dominosteentje omver. Er volgden er meer en vanavond heeft ze zelf de nodige steentjes een duwtje gegeven, tegen haar zin.

Een eigen leven? Een nieuw bestaan? Vergeet het maar, Manou! zegt ze tegen zichzelf.

Ze kan nog zo hard lopen als ze wil, het verleden is sneller en ooit zal het haar inhalen.

13

'WAT HEB JE GEDAAN!'

Riekje schreeuwt, denkt niet aan de muren die bepaald niet dik zijn te noemen.

'Hoe kon jij zo dóm zijn! Zo oerdom! We hadden toch afgesproken dat we het onder ons zouden houden? Dacht je heus dat die Ron het voor zich zou houden? Welnee, die gooit het er een keer in een onbewaakt ogenblik uit. Gooit het misschien zijn vader wel voor de voeten.'

Manou verbaast zich over haar eigen beheersing. 'Mam, denk aan de buren. Als iemand het door kan vertellen, is het straks buurvrouw Bettie! Mam, je luistert niet. Ik kon niet anders.'

Riekje is woest. Ze staat met haar beide vuisten gebald vlak voor haar dochter. 'Ik kon niet anders,' brouwt ze Manou na. 'Natuurlijk kon je dat wel.'

Manou slaat de handen voor haar gezicht. Zie je wel, ze wist het wel. 'Mam, luister alsjeblieft. Ron stond op het punt mij zijn... Nou, hij stond op het punt me te vertellen dat hij gek op me is. Niet zomaar op me gesteld, maar hij meende het. Ik kon niet anders dan hem afwijzen op grond van het feit dat we bloedbanden hebben. Ik was eerst echt niet zo duidelijk, maar hij raadde het. Omdat ik zo op zijn zus Hanna lijk. Die heb ik maar één keer gezien, maar je kunt zien dat we... dat we familie zijn. Ik vertrouw Ron. Punt uit, mam!'

Riekje is niet tot bedaren te brengen.

'Wat had ik dan moeten doen? Zeggen dat ik al voorzien was? Liegen? Ik kán niet liegen, mam. Zelfs leugentjes om bestwil gaan me slecht af. Gedane zaken nemen geen keer. Laat het los!'

Manou wil nog veel meer zeggen, maar ze is bang haar moeder nog meer te ergeren.

Want, zou ze willen roepen, waarom moest je zo nodig híer gaan wonen en je opnieuw vestigen? Dat is toch flirten met het verleden?

'Ik weet één ding, mam, zodra mijn zaakje echt goed loopt en blijft lopen, dan verkoop ik het. En dan ben ik uit beeld en komt er niemand op het idee dat ik, met mijn bruine sluike haar en donkere ogen, weleens een afstammeling van de familie Herwaarden kan zijn. Ik wil nu al wel een concessie doen. Ik zal mijn haar bleken en blauw gekleurde contactlenzen aanschaffen. Geen punt.'

Riekje is haar woede kwijt, maar niet haar wanhoop. Nee, het was nooit haar bedoeling dat haar geheim uit zou komen. Had ze het maar nooit aan Manou verteld. Een geheim bewaren is niet gemakkelijk, maar leven met de waarheid kan soms nog meer problemen opleveren.

Manou doet haar best toenadering te zoeken, begint over het huwelijk van haar moeder met Alex. 'Ik ben gekomen om te helpen met schoonmaken, mam. Volgende week komen de Goossens terug, wat betekent dat we ons moeten haasten.'

Zaterdagmiddag na sluitingstijd: eigenlijk heeft Manou het voor de werkweek wel gehad en het liefst zou ze in haar eigen appartement lekker in een stoel wegduiken, met een boek. Of een stuk fietsen op haar eigen fiets, die door de verhuizers is gebracht. Maar in plaats van dat alles is ze van plan haar moeder te helpen boenen.

'Ik begin dan maar in de kamer waar ik geslapen heb. Zijn er nog plastic zakken?'

Riekje wijst naar de keuken en keert Manou haar rug toe.

Boven gooit Manou de ramen van de slaapkamer wijd open. Binnenkort slaapt Fabian hier weer.

Ze rukt de hoezen van het dekbed en bevrijdt de matras van de hoes en onderlegger. Ze zet het zware geval rechtop, zodat het kan luchten. Van buiten komt een frisse wind, die de gordijnen doet flapperen. Kasten nakijken, ze vindt nog van alles. Pantysokjes, toiletspullen, een vergeten boek. Ze haalt van beneden de stofzuiger en even later laat ze het gebruiksvoorwerp hard werken.

Geen pluisje wil ze achterlaten.

Als dat werkje is geklaard, besluit ze spons en zeem te halen met het doel de ramen vanbinnen schoon te lappen. De buitenkant moet maar blijven zitten. Ze is niet van plan op een wiebelende ladder te gaan staan. Mevrouw Goossen moet haar man maar inschakelen als ze de buitenboel blinkend wil hebben. Of simpelweg een glazenwasser bestellen.

Het beddengoed gaat in de wasmachine en pas als die draait, zoekt ze haar moeder op om te constateren of ze nog kribbig is. Manou vindt haar aan de telefoon.

In de keuken neust ze in de koelkast, met de bedoeling het avondeten klaar te maken.

Ze kan niets bijzonders vinden. Ze vindt wel melk, een pak magere yoghurt, wat fruit en een verrotte komkommer.

'Doe geen moeite,' zegt Riekje vanuit de deuropening. 'Wil je soms iets goedmaken? Ik kan je zeggen dat het vergeefse moeite zou zijn. Bovendien eet ik bij Alex.'

Manou gooit de deur van de koelkast dicht.

'Ik heb niets goed te maken. Het gaat míj net zo goed aan als dat het jou doet. Mam, zet het uit je hoofd. En als dat niet lukt, moeten jullie ook maar verhuizen.'

Verdrietig om de woordenwisseling pakt Manou haar jasje van de kapstok. Doorgaans weet ze heel goed met haar moeders kribbige buien om te gaan, maar dit keer lukt het niet haar tot kalmte te brengen.

'Ik ga dan maar. En ik merk het wel als je er overheen bent. Dag mama.'

Manou wil haar een kus geven. Maar Riekje weert haar af.

Verdrietig fietst Manou even later de straat uit. De zon schijnt, maar de lentewind is kil. Wacht, ze kan omrijden, zien hoe de omgeving van het voormalig klooster er nu uitziet. De verontwaardiging van de archeologen heeft zelfs de landelijke pers gehaald.

De hekken staan er nog, ziet ze. En waar gegraven is ligt een berg zand. Jongens hebben een toegang geforceerd en amuseren zich opperbest op de heuvel. Heerlijk om zo onbekommerd en jong te zijn.

Rijdend door het dorp ontmoet ze hier en daar mensen die haar groeten. Ze is allang geen vreemde meer.

'Stoppen jij!' Dat is Emmelien, met Puckie aan de hand.

Puckie zou zo de straat over willen rennen, zonder op het verkeer te letten.

Manou haast zich over te steken.

'Hoe gaat het, Emmelien?' Puckie klemt zich aan Manou vast. 'Moe!' zegt ze verrukt.

Emmelien trekt een lelijk gezicht. 'Wat wil je horen? De waarheid of de gekuiste versie?'

Ze ziet bleek, onder haar ogen zijn kringen. 'Laten we even een kopje koffie drinken, daar, in het restaurant bijvoorbeeld.'

Puckie rukt aan moeders hand. 'Patat heb je gezegd!'

Manou knikt het kind toe. 'Doen we toch, hoeft mama niet te koken en ik ook niet.'

Ze staan praktisch voor de plaatselijke snackbar, die nu eens niet de naam Herwaarden draagt.

'Jij eerst,' zegt Emmelien zodra ze zitten en hun bestelling is geplaatst. Voor de balie staat een rij mensen. Ze zijn niet de enigen die het zich gemakkelijk maken.

'Niks te vertellen. Alles gaat naar wens. Moeder en ik moeten in het huis van de Goossens aan de slag. We zullen het net zo keurig moeten achterlaten als toen we erin trokken. Maar mama heeft haar hoofd meer bij de inrichting van haar nieuwe huis.'

Emmelien vindt dat luxeproblemen. Nee, dan zij zelf.

'Jelle is niet gemakkelijk. Maar dat wist je al. Ik heb enerzijds met hem te doen, want wat hij allemaal heeft gezien en meegemaakt, laat zich niet zonder meer uitwissen. De een is er gemakkelijker in dan de ander. Maar zijn militaire loopbaan is passé. Dat zit hem ook dwars. Alex Moerman is een toffe vent, je moeder boft met hem. Tja, en dan de situatie met mijn vader.'

Emmelien veegt langs haar ogen.

'Ik vind het zo erg voor jullie. Worstelen met jezelf en met de ziekte van je dochter, met wie je bovendien geen contact meer hebt. Hoe is Margriet er zelf onder? Geen wonder dat het je vader teveel is geworden. Eerst die ruzie, de verwijdering, en nu die ziekte!'

Emmelien snikt: 'Hij was altijd zo moedig, moet je hem nu zien! Hij roept ons op om voor hem en Margriet te bidden, ergens gelooft hij ook in wonderen... Hij hunkert ernaar Margriet op te zoeken, maar ze houdt de boot af.'

Manou staat op om hun bestelling te halen en zet de bakjes voor hen op tafel. Puckie valt meteen aan.

'Geloof je dan niet dat God alles hoort?' informeert Manou.

Ze wil niet belerend praten over Gods ondoorgrondelijke wegen. Zijn plan met iemand. Want het kan toch niet in de lijn van een liefhebbende Vader liggen Zijn kinderen lijden te sturen, en ziekte, rampen...

Emmelien doopt een patatje in de mayonaise. 'Wat pa zegt? Dat het oorlog is in de geestelijke wereld. Er zijn niet alleen goede krachten, die van God afkomstig zijn. Maar de eerste mensen, Adam en Eva, die zijn op de aarde geworpen daar, waar de satan de macht had. Dus is het logisch dat we af en toe op een 'bermmijn', zo noemt pa het, lopen. Dus moeten we bidden en blijven bidden. Dat is een vorm van vechten, zegt hij.'

Manou knikt. 'Zo zal het wel in elkaar zitten. Wij moeten dus strijdbaar zijn en begrijpen dat we aangevallen worden. Tja, dat is een gezichtspunt dat het bestuderen waard is! Ik moet me bedwingen om niet met de 'ja maars...' aan te komen. Er zijn te veel vragen.'

Emmelien is het met haar eens. 'Wat pa nog meer roept, is dat wanneer hij bij Jezus is, hij Hem als eerste al die vragen zal stellen. Want hij wil toch wel weten hoe het in elkaar steekt!'

Ze lachen samen, maar het is een verdrietige lach. Manou denkt: mijn vader is het die zo ziek is en toch zo positief denkt.

Er groeit een verlangen in haar om hem te zien en te laten weten: ik ben je dochter.

Puckie geniet en pikt af en toe een patatje uit de schaaltjes van de anderen. 'Papa moet ook frietjes. Weet je hoe hij die noemt, mama? Papatatjes. Leuk hè?'

Emmelien zegt voor ze weg gaan een bakje voor papa mee te zullen nemen.

Manou móet het vragen. 'Hoe zijn de anderen er onder? Je moeder, je broer en zus.'

Emmelien zegt bezorgd om haar moeder te zijn. Ze woont bijna in het ziekenhuis. 'Ron heeft het zwaar. Hij is het die de gesprekken met de psychiater voert. Een echte steun voor mama. En Hanna, ach, die vindt het net als wij afschuwelijk. Maar ze woont niet hier, kan meer afstand nemen. Manou, ik mis je zo in de winkel!'

Ze spreken af om elkaar zondag te zien. Jelle krijgt bezoek van een paar collega's, die net terug zijn uit het oorlogsgebied.

'Ik kom dan met Puckie bij jou, meteen na de kerk. We kunnen wel een eind fietsen of lopen. Weet je, ik kom bijna niet buiten.'

Als Manou terugkeert in haar eigen bedoening is de woordenwisseling met haar moeder wat naar de achtergrond gezakt.

Want wat is nou hun probleem vergeleken met dat van de Herwaardens?

Twee weken later is het de trouwdag van Riekje met Alex Moerman. Manou heeft haar buurvrouw Ietje bereid gevonden een dagje voor de winkel te zorgen. 'Ik doe het graag, Manou. En wat de zaak betreft: het is niet goed voor een winkel die pas geopend is, om wegens wat dan ook gesloten te zijn. Zo denk ik erover.'

Riekje heeft er lang over gedaan om Manou te vergeven met Ron gepraat te hebben over hun verwantschap. 'We zullen zien of er geroddel van komt.'

Want dat praat Manou haar niet uit het hoofd: binnenkort zal heel het dorp op de hoogte zijn van wat ze haar 'misstap' noemt.

Manou helpt haar moeder met het kleden. De bruid draagt een eenvoudige japon met een bijpassende stola. Manou zingt haar toe:

'Buiten schijnt de lentezon... mijn moeder is de bruid!'

Riekje is pas naar de kapper geweest, zodat het Manou niet veel moeite kost haar haren in model te brengen. 'Die kleurspoeling staat je geweldig, mam. Had je veel eerder moeten doen. Straks zeggen de mensen nog: Alex is een ouwe snoeper die graag een groen blaadje lust... Terwijl jullie bijna niet in leeftijd schelen.'

Riekje spreekt haar dochter niet tegen. De gebruikte make-up is zo geraffineerd, dat ook die meehelpt er vitaal uit te zien.

Moeder en dochter zijn tevreden.

Opeens zegt Riekje: 'Kind, jij mag de Saab hebben. Alex en ik hoeven geen twee wagens. En je hebt het verdiend. Je bent een steun voor me geweest, het afgelopen jaar. Het is bijna een jaar geleden...'

Manou weet het. Vorig jaar om deze tijd leefde haar vader nog. Maar niet lang meer. Manou legt een hand over haar moeders mond.

'Mama, bewaar je goede herinneringen als iets kostbaars. Maar ze kunnen je, als het ware, niet vóeden voor wat er vandaag op je afkomt. Net zomin als toekomstdromen dat kunnen. Het hier en nu, daar gaat het om. Dat is ons gegeven en dat waarderen we vaak niet genoeg.'

'Wijsneus,' zucht de bruid.

Alex arriveert precies op het afgesproken tijdstip. Hij is met zijn eigen wagen, Fabian speelt voor chauffeur. Hij heeft zelfs een geschikte pet gevonden, waaronder donkere sliertjes haar uitsteken. Maar hij is goed geschoren, geen stoppeltje te zien.

Het bruidspaar neemt achterin plaats, Manou mag naast de chauffeur. 'Je ziet eruit als een plaatje,' complimenteert hij haar, terwijl hij de auto in de eerste versnelling zet.

Ze schuift zo ver mogelijk naar de kant van het portier naast haar. Fabian moest eens weten wat er in haar omgaat!

Bij het gemeentehuis treffen ze de weinige genodigden.

Het verbinden in de echt is een saai gebeuren. Maar dat wordt later, door de predikant die het huwelijk inzegent, rijkelijk goedgemaakt. Ondanks dat er slechts weinig genodigden zijn, is de kerk voller dan verwacht. En ook het bescheiden feestje, dat in hotel Herwaarden wordt gehouden, wordt goed bezocht. Riekje straalt. En opeens begrijpt Manou waarom haar moeder terugwilde naar haar geboortedorp.

Dit was het wat ze diep in haar hart gewenst heeft: in Hoogwouden de bruid zijn. Net als haar jeugdvriendinnetjes.

Ook Emmelien laat zich op de receptie zien. Ze heeft Puckie meegebracht, want Jelle kan haar slecht om zich heen verdragen.

'We zijn wat Margriet betreft in een nieuwe fase beland, Manou. De artsen willen zien of er in onze familie een geschikte donor is. De witte bloedcellen moeten overeenkomen. Er zit nog een heel verhaal aan vast, Ron kan het je zo uitleggen, maar mij is het te ingewikkeld. Stel je toch voor als dat zou aanslaan... Dan heeft mijn zus een nieuwe kans! Dat is ook een vorm van een wonder, niet?'

Manous gedachten razen door als een sneltrein.

Ook zíj is familie. Stel je voor dat het zover komt dat zij donor voor haar moet zijn. Zou Ron in dat geval nog weten te zwijgen en zijn zusje opofferen voor zwijgplicht? Wat zou ze zelf kiezen?

Dat weet ze zeker, maar daar is ook nog een Riekje...

Ze dwingt zichzelf niet door te denken. Wat zei ze straks ook alweer tegen mam? Leven in het hier en nu. Dat betekent ook niet fantaseren over wat kan komen.

Het is voor het eerst na het vervelende gesprek met Ron, dat ze hem weer ziet. Hij ziet er in kostuum geweldig uit. En voor het eerst denkt Manou: mijn broer!

Ron oogt rustig. Hij lijkt in korte tijd ouder te zijn geworden, wat geen wonder is. Want buiten de zorg voor de zieken om heeft hij de verantwoording voor de zaak en het personeel. Emmelien begroet hem warm. 'Dag mijn lieve broertje, kom bij ons zitten. Heeft mam nog gebeld? Ik heb Manou net over Margriet verteld. Over dat een van ons hopelijk donor kan zijn...'

Rons ogen kijken een moment in die van Manou. Ze slaat de hare niet neer en denkt te kunnen raden wat er in zijn hoofd omgaat.

Hij legt in eenvoudige bewoordingen wat donatie inhoudt. Manou kan haar aandacht er niet bij houden. Beenmerg, bloedcellen, on-rijpe cellen...

'Het is mogelijk dat ergens in – pak 'm beet – Australië een donor zou kunnen zijn. Geloof me, dat is een unicum, maar het kán zo uit-komen. Logischer is het dat je eerst de familie onderzoekt. En de familie Herwaarden telt vele hoofden! Het is alleen jammer dat Margriet niet wil dat de buitenwacht te horen krijgt dat ze ziek is. We zijn zover dat ze ma wil ontvangen, maar pa wil ze niet zien. Nog niet.'

Na de donatie is verdere behandeling noodzakelijk. 'En ervoor ook, vanzelf. Want een mens is niet zomaar klaar voor een donatie. Er zijn cellen die nieuwe inbreng willen tegenwerken. Die moeten eerst aangepakt worden. Enfin, het is hopen en bidden.'

Tot Manous opluchting blijft Ron niet lang. Hij heeft zijn ouders beloofd vanavond naar Amsterdam te komen.

Puckie krijgt een knuffel. 'Ik ga ervandoor. Dag zusje, dag eh, Manou!' Manou heeft het gevoel of ze in brand vliegt. Zusje en Manou. Alsof hij zei: zusjes! Zo ervaart ze het.

De rest van de dag verloopt zoals gepland. Het diner is tamelijk vroeg op de avond en niet al te uitgebreid. Het bruidspaar heeft namelijk een vliegreisje naar Parijs geboekt en moet vóór halftwaalf op Schiphol zijn.

De chauffeur staat op tijd klaar, pet op zijn hoofd. 'Je hebt toch niet gedronken?' informeert Manou bezorgd.

'Liters!' reageert Fabian nonchalant. 'Nog wat anders?'

Met die woorden houdt hij Manou staande.

'Mijn ouders komen volgende week terug, dus wat eerder dan afge-sproken. Ik weet dat jullie nog niet klaar zijn met de schoonmaak, maar dat is geen punt. Als jij zegt wanneer je naar de Kloosterdwars-straat denkt te komen, roep je me maar. Samen zijn we er zo door-heen.'

Samen met Fabian aan de schoonmaak. 'Komt Marjan dan ook?' wil Manou weten.

'Dat denk ik niet. Ze is momenteel bij haar ouders. Ze heeft, net als ik, plannen voor een eigen zaakje en ze hoopt haar vader er warm voor te krijgen om haar te sponsoren. Bovendien, zie jij haar al de handjes vies maken? Ik niet.'

Hij doet er luchtig over, wat Manou doet denken dat ook hij een gebroken hart heeft.

Riekje huilt bij het afscheid als ze Manou omhelst.

'Je bent toch nergens boos om? Ik bedoel, dat met papa. Dat het nog géén jaar geleden is...'

Manou knuffelt haar moeder. 'Mam, als pa hier was, zou hij roepen dat hij wil dat je gelukkig bent. Zie niet om, mam. Leef vandaag! Dat probeer ik ook. Fijne reis en geniet! Breng maar wat moois voor me mee uit Parijs.'

Alex heeft ook nog het nodige te zeggen. Dat hij geen vader van Manou kan zijn, maar wel een plaatsvervanger. 'Als je me nodig hebt, meisje, dan ben ik er voor je.'

Zodra het bruidspaar is vertrokken, is het net alsof er een ballon leeggelopen is. De gasten vertrekken, Manou als laatste. Ze vindt in haar huis een uitgebreid schrijven van Ietje. Wat er verkocht is, wat de vragen van de klanten waren en dat soort dingen. Ze eindigt met: 'Ik heb genoten en heel wat ervaring opgedaan. Graag tot volgende keer.'

Na een korte inspectie van de winkel, waar Manou niets aantreft dat anders zou moeten zijn, kruipt ze met een glas wijn in bed.

Mam op huwelijksreis... hoe is het mogelijk.

Mam in de armen van een andere man dan pa. Maar ja, daar zou ze ondertussen toch aan gewend moeten zijn.

Heel lang ligt ze nog wakker. Denkend aan wat Ron allemaal heeft verteld. Stel je toch voor... Wat zou ze doen?

Ze stelt zichzelf gerust. Mocht het zover komen dat zij de enige is die donor zou kunnen zijn, iets wat ze nog steeds té toevallig zou vinden, dan nog is er niets aan de hand. Want waarom zou een donatie, van wie dan ook, wereldwijd bekend worden gemaakt?

Zo, die zit. Aan die gedachte kan ze zich vasthouden. Het is vreemd, een merkwaardig gevoel, maar ze voelt zich steeds meer en meer verwant aan Ron én aan Emmelien.

Ze heeft een broer en een zus. Twee mensen die ze heel erg graag mag. Kon ze maar voor hun verwantschap uitkomen!

Het is niet anders. Als haar moeder langer dan vijfentwintig jaar een geheim kon bewaren, dan moet zíj dat zeker kunnen. Want de Herwaardens staan bekend als sterke mensen, die zich niet zonder meer gewonnen geven als het op strijd aankomt.

En... is zij niet óók een Herwaarden?

14

FABIAN BLIJKT EEN PRIMA WERKVROUW.

'Waar heb je dat geleerd?' vraagt een uitgeputte Manou verbaasd, als ze zo goed als klaar zijn en het huis er spic en span uitziet.

'Wat dacht je? Wellicht van mijn moedertje? Vanaf dat ik lopen kon zat ze me achterna. Opruimen, nooit speelgoed laten slingeren. Voeten vegen als je van buiten kwam. VOETEN VEGEN!!! Als je naar het toilet was geweest, kijken of je de pot bevuild had of ernaast had geplast. Zo leer je het wel.' Fabian zegt het op een vriendelijke toon, die niet in overeenstemming is met de inhoud van zijn woorden.

'En ze had maar één kind! Daar ga je toch mee spelen, wandelen, dat soort dingen.'

Fabian zwijgt. Hij heeft genoeg gezegd. Manou kijkt angstig om zich heen. 'Is alles dan wel echt schoon genoeg? Gaat je moeder na thuiskomst niet meteen alles overdoen?'

Fabian lacht haar uit. 'Dat moet ze zelf weten. Wat ik wél weet, is dat ik me gelijk met jou uit de voeten maak. Het was voor mij een hele gewaarwording om in mijn ouderlijk huis niet achter de vodden gezeten te worden. Mijn vader heeft zich meteen na het jawoord naar mijn moeder geschikt, meen ik te weten. Niet dat hij een pantoffelheld is, maar er gebeurt niets waar ma haar fiat niet aan heeft gegeven. Zo, nu lopen we de boel even na. Boven moeten de ramen nog gesloten worden en de prullenbakken in de keuken zijn nog niet geleegd. Heb je de sleutels van je moeder ook?'

Manou zegt dat ze op de haltafel liggen. 'Ik doe de prullenbakken wel. En moeten we hun bed ook opmaken, of doet je moeder dat liever zelf?'

Fabian vindt dat laatste en loopt de trap op. Met een paar sprongen is hij boven. Manou loopt met het gescheiden afval naar de containers. Aan de andere kant van de muur hoort ze Ietje kwebbelen. Ze hijst zich op een omgekeerde emmer en roept Ietje toe dat ze gauw een bakje koffie moet komen halen.

'Doe ik!' roept Ietje terug. Manou bedenkt dat ze buurvrouw Bettie aan de andere kant eigenlijk ook namens Riekje gedag moet zeggen. Ze is niet van plan hier nog vaker te komen.

Maar Bettie is voor hen een aardige buurvrouw geweest.

'Fabian, zijn de containers wel schoon genoeg? Ik geloof niet dat mijn moeder noch ik er ooit aan gedacht heeft de kliko's schoon te maken...'

Fabian vindt dat ze meer dan hun best hebben gedaan. 'Mijn vader moet toch wat te doen hebben als hij thuiskomt.'

Manou legt het briefje dat Riekje ten afscheid heeft geschreven, bij de sleutels.

'Dat was het dan, huize Goossen!'

Fabian raapt een paar grassprietjes van de grond en omdat hij even niet weet wat er mee te doen, gooit hij ze in het toilet dat daarna wordt doorgespoeld.

'Als er wat te klagen valt, moeten ze dat maar doen. Kom op, dan gaan we.' Hij heeft zijn grote rugzak zo volgestopt, dat er nog geen sok meer bij in zou kunnen. Manou vraagt waar hij nu naartoe denkt te gaan.

'Tja, jij hebt me niet uitgenodigd in je kasteel. Ik heb gelukkig asiel bij Ron gekregen. Die kan wel een opkikkertje gebruiken.'

Hij kijkt bij die woorden Manou recht aan. Ze kan niet anders dan dit beamen. 'Ik zou niet weten hoe ze te kunnen helpen. Het is afschuwelijk wat hun is overkomen...'

Fabian trekt Manou mee naar de voordeur, maar blijft even in de opening staan. 'Kom nou, dat zou jij niet weten? Ik meen toch te weten...' Verder komt hij niet, want buurvrouw Bettie komt aange-beend. 'Ik kom afscheid nemen, Manou. En ik heb een bos bloemen ter verwelkoming voor de buren. Doen jullie de deur nog even voor me open?'

Fabian is zo vriendelijk dat te doen en Manou denkt: dat had ik ook moeten doen, een bos bloemen neerzetten bij het briefje. Nou ja, ze kan altijd wat laten bezorgen.

Bettie veegt haar voeten of haar zolen eraf moeten. Ze zet een prachtig boeket met vaas in de hal op het tafeltje. 'Zo, dat is echt een welkom thuis.'

Ze troont Manou, die graag nog even met Fabian had gepraat, mee naar haar huis.

Fabian loopt naar zijn auto en gooit de rugzak in de achterbak. Hij steekt een hand op ten afscheid.

'Komt dat blonde meisje niet meer?' vist buurvrouw.

Manou zegt er niet van op de hoogte te zijn. 'Misschien als de Goossens terug zijn.'

In een kwartier roddelt Bettie meer dan een ander in tien jaar. Manous oren tuiten.

Na twee kopjes koffie vindt ze het genoeg en zegt thuis nog van alles te doen te hebben. 'Wat ik vragen wilde, Manou, je hebt van die leuke stoelen staan. Van rotan. Manou, heet dat spul toch? Als ik een stoel koop, krijg ik dan vriendenkorting?'

Manou hapt even naar adem. Toe maar, een brutaal mens heeft de halve wereld. 'Dat zien we nog wel. Leuk als u eens in de winkel komt.'

Ze drukt buurvrouw de hand en stapt met haar plastic tasjes vol bijna vergeten spulletjes in de Saab.

Wéér een periode afgesloten!

Thuisgekomen gaat ze niet aan het werk, de avond is bijna voorbij. Maar ze kruipt wel achter haar computer en klikt door tot ze op een site is waar alles over leukemie is te vinden. Onwillekeurig lopen de tranen haar over de wangen.

Als er niet snel iets positiefs gebeurt, sterft Margriet Herwaarden. Manou kent haar niet, maar het is wel haar halfzus. Dat steekt Manou. Diep in haar hart zou ze zich zo graag aan de familie Herwaarden bekendmaken...

Ze sluit het internet af en ook de computer.

In gedachten is ze bezig een advertentie te maken voor een of ander vakblad: te koop in Veluws dorp... goedlopende winkel...

Oei, dat doet pijn.

Maar ze ziet geen andere oplossing. Weg van Hoogwouden en de mensen hier. Vooral weg van Fabian! Nu ze de drukte van het opstarten van de winkel achter zich heeft en wat tot rust komt, dringt het tot haar door dat ze vanaf de eerste ontmoeting gecharmeerd was van Fabian. Ondanks zijn ruige uiterlijk en dat hij zich gedraagt als een vrijbuiter.

Hij zal toch nooit omkijken naar een vrouw als zij, iemand die een afgepast leventje heeft geleid, van een ander niveau is als hij. Hun wijze van leven komt op weinig punten overeen. Ze ziet zichzelf niet in aangepaste kleding door woest gebied sjokken om te fotograferen. Maar ja, nu hij een winkel begint...

De telefoon roept haar terug naar het nu. Riekje die belt vanuit Parijs. Ze hebben het zo heerlijk. En Manou kan rekenen op een tas vol cadeautjes. 'Het weer is paradijselijk en echt, we lopen alle beroemde plekken af.'

Manou luistert geduldig, probeert zich haar moeder voor te stellen in het Bois de Boulonge en opkijkend naar de Eiffeltoren waar ze nooit op zal durven!

'Hoe is het bij jullie? Zijn de Goossens al terug? Is het gelukt alles klaar te krijgen?'

Manou doet een kort verslag. Dan krijgt ze Alex nog even aan de lijn. Vergeet Manou niet om de planten in hun tuin water te geven? 'En al die bloemstukken van de bruiloft zullen ook wel verzorging nodig hebben. Riekje heeft je toch een sleutel gegeven?'

Omdat ze toch geen slaap heeft, besluit Manou de fiets te pakken en de opdracht meteen te vervullen. De tuin ligt er prachtig bij, dankzij de goede zorgen van hovenier Herwaarden. De gekregen bloemstukken staan in de keuken op het aanrecht. Manou is zo vrij ze een plekje in de kamer te geven, plukt dode blaadjes weg en haalt de kaartjes van de gevers eraf, die ze op het bureau in het kantoortje legt.

Door de zwoele avond rijdt ze langzaam door het dorp. Lente, de eerste heerlijke dagen zijn aangebroken en in de tuinen bloeit van alles dat heerlijk geurt.

'Dag mevrouw Altena.' Het is Ron die naast haar komt fietsen, in zijn hand een stapeltje post. 'Nu pa is uitgeschakeld, is het voor mij 's avonds doorploeteren. De administratie, dat soort dingen. Meid, ik kan mijn hoofd er bijna niet bij houden! Deze week wordt gekeken wie er van ons geschikt is als donor voor Margriet!'

Manou hapt naar adem en weet maar net een insect te vermijden door haar mond dicht te klappen.

'Spannend. Ik wilde dat ik wat voor jullie kon doen!'

Ze stoppen als afgesproken bij de brievenbus, midden in het dorp. Ron tikt met zijn brievenstapeltje even op haar stuur. En probeert haar in het schemerdonker goed aan te kijken.

'Wie weet krijg je die kans nog, Manou. Denk er maar eens over na.' Hij gooit de brieven in de bus, steekt een hand op en is weg. Manou staart zijn kleiner wordend achterlichtje na.

Néé! Dat niet!

Ze loopt het laatste stukje naar haar huis en rijdt de fiets dwars door de winkel naar het achtertuintje. Het is haar te veel moeite om achterom te rijden en via een steegje naar huis te gaan. Ze zet de fiets in het schuurtje en probeert zichzelf tot de orde te roepen. Morgen is het weer aanpakken, ze moet zien een goede nachtrust te krijgen.

De volgende dag blijkt dat ze toch wat voor iemand van de familie kan doen. Emmelien belt dat ze een middag en avond naar Amsterdam wil. 'Maar ik heb geen oppas voor Puckie. Vroeger deed mijn moeder dat, zoals je weet. Maar ja, mam woont in het ziekenhuis en op Jelle hoef ik niet te rekenen.'

Natuurlijk zegt Manou vanaf zes uur beschikbaar te zijn.

'Maar ik kan mijn winkeltje toch niet sluiten. Zal ik Ietje voor je bellen? Die is heel handig en als dat niet mogelijk is, kan Ietje mijn zaakjes doen, dan pas ik op Puckie en de winkel.'

Emmelien huilt. 'Sukkel die ik ben. Ik dacht helemaal niet aan jouw winkel. Zou je dat willen organiseren? Je bent een schat van de bovenste plank!'

Diezelfde avond belt Manou Ietje, maar krijgt geen gehoor en haar mobiele nummer heeft ze niet. Er zit niets anders op dan even naar de Kloosterdwarsstraat te rijden. Zo komt ze nog eens in de buitenlucht!

Ietje blijkt wel thuis. Ze is met haar man in de tuin aan het werk en zegt de telefoon niet aan te hebben staan.

'Soms zet ik het ding gewoon uit, tot ergernis van Job. Ik ben vergeten hem weer aan te doen. Wat leuk dat je langskomt.'

Manou gaat op een bankje zitten en doet uit de doeken wat het probleem is. Ietje kijkt zuinig. 'Die boekwinkel, dat is natuurlijk niets voor mij. Ik wil zoiets wel, maar dan moeten ze me eerst inwerken. Maar wat jij voorstelt: ik in De Koperen Kan en jij in de boekwinkel, dat lijkt me wel wat. Mijn moeder zal blij zijn Tommy weer een middagje onder haar hoede te hebben!'

Job, die bezig is een groentetuintje aan te leggen, loopt naar binnen om een fles frisdrank en glazen te halen.

Op zachte toon deelt Ietje mee dat de buren terug zijn. 'Het was heerlijk om jullie als buren te hebben! Zij van hiernaast doet niets dan mopperen. Ze laat haar arme man sjouwen tot hij erbij neervalt.'

Job drinkt haastig zijn glas leeg en zegt dat Ietje watjes voor haar oren moet kopen. Grijnzend kijkt hij achterom.

Manou drinkt staande haar glas leeg. 'Ik zal nog even langs Emmelien gaan. Ze moet wel begrijpen dat dit een noodmaatregel is. Ik ga niet graag weg uit mijn winkel, ook al heb ik nog zo'n goede plaatsvervangster.'

Dat begrijpt Ietje heel goed. 'Stel maar eens voor dat ik bij haar kom kijken. Met het doel zo nodig te vervangen.'

Emmelien is uiteraard dolgelukkig met de geboden hulp. 'Alternatief is natuurlijk de boel op slot doen.'

Het is de eerste keer dat Manou Jelle in de kamer aantreft. Hij is een aantrekkelijke man, echt het type militair. Zeer kortgeknipt haar. Manou krijgt een stevige handdruk. 'Je houdt me morgen toch gezelschap? Ik kan die bewegelijke dochter van ons niet hanteren. Toen ik vertrok, was ze een gewillig poppetje. Moet je nu zien! Herwaardensbloed!'

Manou ziet dat Emmelien aan het eind van haar krachten is. Ze houdt geen oog van Jelle af, alsof ze een of andere uitbarsting vreest. Of ze nog wat zullen drinken? Manou bedankt. Jelle kijkt teleurgesteld. 'Ik moet nog een en ander regelen voor morgen. Echt, mijn ex-buurvrouw Ietje is een geschenk uit de hemel. Ze wil jou graag in de toekomst helpen, maar dan dient ze eerst ingewerkt te worden. Een oppas voor haar zoontje is nooit een probleem.'

Met een hoofd vol zorg om anderen rijdt Manou naar huis. Ze bekijkt liefkozend haar etalage. De grote koperen kan doet het goed, het is haar handelsmerk geworden.

Er is veel om dankbaar voor te zijn!

De volgende dag staat de eerste klant al voordat de winkel geopend wordt, voor de deur. Manou denkt de vrouw ergens van te kennen en als deze zich voorstelt, roept ze: 'Ach, natuurlijk. U bent mevrouw Goossen! Wat leuk u hier te zien.'

Een niet onknappe dame, duidelijk de moeder van Fabian.

'Ik kom bedanken voor de bloemen die bezorgd zijn. Erg attent. Jullie hebben prima op het huis gepast, maar ik heb begrepen dat dit niet voor herhaling vatbaar is.'

Manou wil vertellen over het huwelijk van haar moeder, maar mevrouw Goossen legt haar met een handbeweging het zwijgen op. 'Ik weet er alles van via buurvrouw Samuëls. Ja, Bettie. Wel, dat is snel gegaan. Ik ken Alex Moerman goed. Ik was erg verbaasd te horen dat hij ging trouwen! Je moet weten dat er nogal wat weduwvrouwen uit het dorp probeerden hem te vangen. En dan komt er iemand van buiten, die het lukt binnen een halfjaar met hem in de huwelijksboot te stappen. Wanneer is je vader ook alweer overleden?'

Ze kijkt streng als een ouderwetse schooljuf.

Manou hakkelt dat dit ruim een jaar geleden is. 'Ik ben erg blij voor mijn moeder. Ze is geen type dat tegen alleen-zijn kan.' Wat een excuus.

'Ja, je hebt van die mensen. Ik heb ze van de winter genoeg gezien. Het waren net pubers, de jacht op die ene vrijgezel... Er zijn altijd meer vrouwen dan mannen.'

Mevrouw Goossen dwaalt door de winkel, betast voorwerpen maar lijkt niet van plan iets te kopen. Wanneer moeder terugkomt?

'Ze zouden maar een week wegblijven, maar omdat ze het zo naar de zin hebben, zijn het twee weken geworden.'

En eh... hoe vonden ze het dat zoon Fabian onverwacht thuiskwam? 'Als ik had geweten dat hij eerder dan verwacht zou terugkeren uit het buitenland, zou ik het jullie gezegd hebben. Ik denk dat het jullie niet aanstond, dat onverwachte bezoek.'

Manou voelt de ogen van de vrouw bijna in die van haar priemen.

'We konden het goed met Fabian vinden. Hij is druk in de weer geweest met de archeologen.'

'Dat is ook zoiets. Toen mijn man daarvan hoorde, had hij zo zijn biezen willen pakken. En erbij zijn. Omdat jullie in ons huis zaten, ging dat niet. Wat denk je? Manlief had zó een huisje willen huren in het vakantiepark Herwaarden. Maar daar bedankte ik voor. De heerlijke zon in Spanje laat ik me niet zonder meer afpakken.'

Uiteindelijk besluit mevrouw Goossen een kistje waxinelichtjes te kopen. 'Niet duur, leuke verpakking. Lijkt meer dan het is en precies geschikt voor de persoon die ik in gedachten heb.'

Na betaald te hebben struint ze de winkel uit. Haar stem klinkt Manou nog uren erna in de oren.

Tussen de middag duikt Ietje al vroeg op. 'Ik heb er zo'n zin in! Heb je nog nieuwe spullen?'

Manou zegt een vertegenwoordiger te verwachten. 'Wil je die doorsturen naar de boekwinkel?'

Het wordt voor Manou een drukke middag. Het mooie weer trekt mensen niet alleen naar buiten, er wordt ook gekocht. En als de vertegenwoordiger komt, moet hij een kwartiertje wachten eer Manou hem te woord kan staan. 'Wat een methode, jullie lijken hier wel stoelendans te doen,' plaagt hij.

Tegen halfvier wordt Puckie door een vriendin van Emmelien thuisgebracht. En gelijk komen de eisen: 'Ikke wil drinken, ikke wil koekjes met roze en witte dekseltjes om af te likken. Ikke wil...' Manou bonjourt haar naar de keuken, waar ze haastje-repje een bord met de bestelling klaarmaakt. 'Papa zit in de tuin en daar ga jij ook naartoe, gezellig bij hem zitten. Als straks de winkel dicht is, gaan we samen eten halen.'

Puckie is verontwaardigd en dat laat ze merken ook. 'Jij niet meer lief! Moe is niet meer lief!'

Het is niet dat Jelle zijn best niet doet het kind bezig te houden, het lukt hem simpelweg niet. Manou holt dan ook van de winkel naar de tuin en terug. Af en toe krijgt ze de neiging Jelle een flinke mep te verkopen.

En eindelijk, eindelijk is het zes uur. Manou draait met een heftige beweging de deur in het slot. Ze sluit de kassa af en bedenkt dat Emmelien mag opruimen wat door de klanten niet netjes is teruggezet en -gelegd.

Jelle slaakt een overdreven zucht als ze zich bij hem in de tuin voegt. 'Wat schaft de pot, Manou?' Hij kijkt haar broeierig aan.

'Ik haal wel wat. Chinees? Je zegt het maar. Pizza, ook een optie. Patat, Grieks, dat kan tegenwoordig ook.'

Puckie drenst dat ze alleen papatatjes wil. 'Je doet maar wat het kind wil. Zijn we van het gezeur af.'

Manou pakt de fiets van Emmelien, waar een zitje achterop is bevestigd. 'Niet zo wiebelen, Puckie! Straks rollen we over straat!'

Patat met appelmoes. Manou heeft trek en eet met smaak. Puckie eist een toetje.

De koelkast wordt geïnspecteerd en gelukkig staat er nog een pak vanillevla. Manou is zo vrij een blikje fruit te openen zodat ze de schaaltjes kan opfleuren.

Zodra Puckie verzadigd is, haar schaaltje nog niet leeg, roept ze luid en duidelijk: 'Amen!' springt van haar stoel en rent naar binnen. 'Ze wordt door haar moeder christelijk opgevoed, dat is duidelijk,' sneert Jelle. En opeens gooit hij er van alles en nog wat uit. Waar je blijft met de geleerde normen en waarden als je de kogels om je heen ziet vliegen. De doden, de ellende, de wreedheden en het onrecht.

Manou schrikt. Hij ziet eruit alsof hij gedronken heeft of onder de drugs zit. Het zal toch niet zo zijn... Ze wordt bang voor hem. Ze wil hem niet onderbreken, want wie weet is de uitbarsting wel een doorbraak. Ze is bang voor hem en spiedt onmerkbaar naar zijn been dat nog steeds in het verband zit. Hij zal niet in staat zijn haar, mocht ze weg moeten lopen, achterna te zitten.

'Antwoord! Geef als burger eens antwoord op dit soort vragen? Emmelien stelde voor dat ik in de winkel zou helpen. Zie je het voor je? Ex-militair, met duidelijke verwondingen, verkoopt ansichten en prutboekjes. Ik zou nog liever op een sinaasappelkistje op het plein gaan staan en de brave dorpelingen eens goed vertellen hoe het er ginds toegaat!'

Opeens begint Jelle te huilen. Manou kijkt radeloos om zich heen, alsof de bloeiende narcissen haar raad kunnen geven. Uiteindelijk staat ze op en trekt haar stoel tot vlak bij die van hem. Ze legt een hand op de zijne, geeft er kalmerende klopjes op.

'Begrijp jij er dan iets van? Waar is God dan?'

'Jelle, ik weet het ook niet. Alleen dat het God, als Vader, veel pijn moet doen dat Zijn mooie aarde, met mensen die Hem stuk voor stuk dierbaar zijn, zo kapot wordt gemaakt. En waarom Hij dat toelaat weet ik ook niet. Net zomin als we weten waarom Anton Herwaarden en zijn dochter zo ziek zijn!'

Jelle snikt, snuit in de zakdoek die Manou hem heeft toegestopt. Hij dept zijn ogen en blijft enkele momenten uitgeblust zitten. Dan opeens, Manou is er niet op bedacht, buigt hij zich over haar heen en klemt haar in zijn armen. Zijn mond perst hij op de hare, hij kreunt en zijn greep is zo heftig dat Manou zich niet kan losmaken. Ze probeert hem van zich af te duwen. Tevergeefs.

Hij kust haar mond, tot ze ongewild toegeeft. Zijn handen dwalen over haar lichaam waar hij maar bij kan.

Tot Puckie begint te gillen. 'Papa! Er is zoiets engs op de tv... ikke ben bang!'

Manou maakt van het moment gebruik en rukt zich los. Ze rent naar binnen en doet de keukendeur op slot. Ze voelt zich vies en vernederd.

Puckie trekt haar mee en inderdaad, de zender die toevallig aanstond toen het kind de tv inschakelde, zendt walgelijke tekenfilms uit. Haastig drukt ze de toetsen van de haar onbekende afstandbediening in tot ze Donald Duck in hoogsteigen persoon ziet ronddarren en kwaken.

Puckie zakt op een stoel, een afgesabbeld slabbetje in haar handje.

Wat nu? Manou gluurt naar buiten, maar Jelle ziet ze niet. Wel, ver kan hij niet zijn, het huis kon hij niet binnenkomen.

Ze haast zich rondkijkend door de tuin, werpt een blik in de vrijstaande garage. Maar er is geen spoor van Jelle.

Ze roept zijn naam, opent het tuinhekje en kijkt van rechts naar links.

Manou bolt haar wangen, blaast met een plofje haar adem uit.

Een voorbijganger informeert of ze de poes kwijt is.

De poes. Wat moet ze zeggen? Nee, een invalide ex-militair.

Puckie is verdiept in een tekenfilm, Manou heeft even geen omkijken naar haar.

Jelle is depressief. Opeens bevangt haar paniek. Hij zal toch niet... Je weet maar nooit wat een mens in een impuls kan doen. Maar wacht, hij geneert zich natuurlijk voor zijn gedrag. Per slot van rekening was hij bezig haar tegen haar wil te omhelzen. Sommige vrouwen, weet ze, zouden al van een aanranding spreken.

Natuurlijk, dat is het. Hij schaamt zich en is op de loop gegaan. Hoewel, op de loop? Zo hard kan hij niet lopen. En dat zeker niet zonder hulp van zijn stok, die in plaats van de krukken is gekomen. Jelle die tobt met het waarom. Het waarom van oorlogen. De bestaande antwoorden zeggen hem niets. Hij is er niet aan toe.

Manou loopt tot de hoek van de straat, tuurt langs de winkels en cafeetjes. Misschien is hij ergens een borreltje gaan drinken. Of er kwam een vriend langs, die hem heeft meegenomen. Allemaal mogelijkheden. Manou berispt zichzelf. Ze moet zich niet zo aanstellen!

Eerst maar eens afwachten. Iets anders kan ze niet doen.

Zodra de film uit is, begint Puckie te jengelen. Manou vermoedt dat ze doodop is. Met een zoet lijntje weet ze haar mee naar boven te krijgen, waar ze Barbies in het bad gooit.

Nadat de slanke dennen een halfuurtje om beurten hebben leren zwemmen om daarna harteloos verdronken te worden, koelt het water af en begint Puckie te klappertanden.

Manou vist haar uit bad en wikkelt haar in een grote badhanddoek. 'Papa moet komen!'

Manou legt uit dat papa even met een vriend uit is. 'Als hij terugkomt, komt hij meteen boven.'

Puckie moet lachen. Want dat kan papa toch niet, naar boven lopen? Nee, als papa thuiskomt, gaat Puckie wel naar beneden!

Manou leest voor tot ze schor is en uiteindelijk geeft het kind zich gewonnen door de slaap. En ondertussen heeft Manou beneden niets gehoord dat erop duidt dat Jelle terug is gekomen.

De tijd verstrijkt en als het tegen acht uur loopt, heeft Manou een knoop in haar maag, zo voelt het aan.

Eindelijk ziet ze de auto met Ron en Emmelien aankomen. Bang dat Ron gelijk zal doorrijden, haast ze zich naar hen toe.

'We hebben goed nieuws... Dat wil zeggen...'

Manou gebaart dat Ron mee naar binnen moet komen.

Emmelien is opgetogen. 'Hanna, die kan voor Margriet donor worden! Alles gaat in een stroomversnelling! Ze moet medicijnen tegen het afstoten en na de transplantatie is ze er nog lang niet. Dan moet ze bestraald, en nog aldoor medicijnen én er moet voor gezorgd worden dat ze niet geïnfecteerd wordt. Ze wordt afgeschermd...'

Ondertussen staan ze alle drie in de gang. Emmelien fronst haar wenkbrauwen. 'Hoe ging het allemaal... Waar is Jelle? Ik dacht dat jullie nog wel buiten zouden zitten.'

Ze mikt haar tas in een hoek en wijst naar de keuken. 'Koffie!'

Ron heeft door dat er iets aan de hand is. Hij legt een hand op een arm van Manou. 'Wat is er, meisje?' Zijn donkere ogen staan ernstig.

Manou stoot uit: 'Jelle is weg. Ik heb alles afgezocht, in huis, de garage... Ik heb meteen op straat gekeken...'

'Hoe laat was dat?' informeert Ron. Hij rammelt met zijn sleutelbos en Manou begrijpt dat hij de ernst van de situatie inziet.

'Koffie! Willen jullie ook? Manou, je blijft toch wel even?' En dan: 'Wat is er met jullie?'

Ron zegt zo bedaard mogelijk: 'Jelle is ervandoor. Manou heeft er niets van gemerkt, ze was bezig met Puckie. Wel, we zullen wat mensen mobiliseren, want Jelle is tot nare dingen in staat.'

Ze overleggen, drinken staande een kop koffie. Manou moet alles nog eens uitleggen.

'Nou ja, hij zit duidelijk met de 'waaroms'. Ziet zijn toekomst ook niet zo zitten... Ik weet niet of het belangrijk is, maar hij werd opeens nogal eh eh... handtastelijk. Ik ging naar binnen en toen ik terugkwam was hij weg.'

Emmelien verbleekt. Handtastelijk. 'Wel... hij... af en toe heeft hij van die buien. Het botert niet tussen ons en gelukkig slaapt hij nog steeds in het ziekenhuisbed. Beneden. Hij is opgefokt tot en met! Wat moeten we doen?'

Emmelien barst in huilen uit en Manou kan niet anders dan haar tegen zich aantrekken om haar te troosten.

Ron is al aan het bellen.

'Er komt een ploegje mannen helpen zoeken. Fabian, jongens van de garage, een paar neven. Dat van die handtastelijkheid hoeven we niet wereldkundig te maken, misschien is dat iets voor een later tijdstip.'

'En we waren zo blij!' hikt Emmelien.

Manou staart de tuin in en wenst dat de schommel en de appelboom zouden kunnen spreken. Op de tuintafel ligt nog het etensafval, bestek en schaaltjes.

Met trillende vingers ruimt ze alles op. Ron weet zijn zus te kalmeren en ondertussen druppelen de helpers binnen. Fabian als laatste. Wat er aan de hand is?

Ron vertelt het in een paar woorden. 'Ver kan hij niet zijn, mensen. Hij heeft geen vervoer, de auto staat er nog en van fietsen is geen sprake. Hij moet dus met iemand meegelift zijn. Als we hem niet snel vinden, wordt het politiewerk. Mogelijk kan de politie dan achterhalen met wíe hij is meegereden.'

Manou krijgt een helder idee. 'Wat dacht je van de bus?'

Ron verdeelt het dorp op papier in stukken. Even later rukken de auto's uit met chauffeurs die allen hetzelfde doel hebben.

Emmelien banjert door het huis. Ze voelt zich schuldig. 'Ik kón op het laatst niet meer naar hem luisteren, hij vroeg nog meer aandacht dan een klein kind. Alsmaar hetzelfde. Bram en Mike die waren omgekomen, terwijl hij 'slechts' gewond is. 'Iedereen roept dat ik geluk heb gehad!' Dat riep hij dagelijks.'

'Het is ook moeilijk om met hem om te gaan. Want luisteren doet hij niet, wat je ook zegt. Je moet met hem meepraten, dat gevoel had ik vanmiddag. Ik heb tegen hem zitten preken... Ik had moeten luisteren, Emmelien. Ik voel me schuldig, hij is weggelopen terwijl ik het had kunnen voorkomen. Denk je dat hij zich schaamt om je-weet-wel?'

Emmelien kluift op een duimnagel. 'Weet ik niet. Lijkt me van niet. O, ik schaam me, ik verlang ernaar terug dat hij ginds zat. Wat een vrouw ben ik!'

Ze huilen samen.

Een voor een komen de mannen terug. Niemand heeft ook maar een spoor gevonden. Overal zijn ze geweest, het halve bos door, het park is doorzocht, overal waar water is hebben ze gekeken. 'En hebben jullie nog mensen ondervraagd?' smeekt Emmelien.

'Waar moeten we beginnen?' zegt Fabian rondkijkend. 'We zouden natuurlijk hier in de buurt kunnen vragen. Maar dat is zoeken naar een speld in een hooiberg. Morgenochtend hebben we meer kans, maar dat houdt in dat we veel tijd verloren hebben laten gaan. Kom, Ron, we lichten de politie in. Ook al mogen ze niets doen voor een bepaalde tijd verstreken is, ze kunnen toch wel uitkijken.'

Emmelien somt de mogelijkheden op die gebeurd zouden kunnen zijn. 'Hij zag het leven niet meer zitten, en wat doen veel mensen dan? In een moment van verstandsverbijstering? Ik bedoel maar... Wij kunnen toch niet rustig naar bed gaan terwijl hij...'

Het is een verslagen groepje mensen dat in de huiskamer bijeen zit. Ron belt met de politie, die inderdaad nog niet veel doen kan. Er is toch altijd nog een kans dat meneer uit zichzelf terugkomt?

De mannen die gezocht hebben gaan naar huis, maar zijn bereid op welk moment dan ook weer in actie te komen.

Ron zegt de nacht bij zijn zus door te brengen en Fabian brengt Manou met zijn auto naar huis. 'Dat afstandje kan ik ook nog wel lopen,' zegt ze mopperig. Maar gelijkertijd geeft ze toe dat haar benen trillen.

Fabian loopt mee naar boven, waar hij nog een paar telefoontjes pleegt.

'Iemand moet gezien hebben dat hij zich op straat bevond, Manou. Ik denk dat we morgen méér kunnen doen. Heb je een slaapmutsje voor me? Daar ben jij ook wel aan toe, denk ik!'

Manou zegt niets sterks in huis te hebben. 'Een glas port kun je krijgen. Cadeautje van iemand bij de opening.'

Geleidelijk aan voelt Manou zich weer warmer worden. 'Emmelien heeft gelijk, hoe kun je rustig in je bed liggen als er iemand zóék is!'

Fabian zegt wel bij haar te willen blijven. 'Je bank lijkt me een prima slaapplaats.'

Hij meent het nog ook. Manou verschiet van kleur. 'Wat zullen de mensen dan wel zeggen, als ze jou om acht uur uit mijn deur zien komen?'

Fabian strijkt met een hand over een rasperige wang. 'Tja, het is leuk om het uit te proberen, niet? Maar nee, jij bent bang voor je goeie naam. Keurige juffrouw uit een keurig winkeltje.'

Bedoeld als een grapje, maar zo komt het niet over. 'Ik ben nu eenmaal géén Marjan,' roept ze en ze wijst naar de deur. 'Ik heb helemaal geen behoefte aan gezelschap.'

'Marjan! Wat denk jij van haar te weten? Ach, jullie vrouwen zijn allemaal hetzelfde. Jaloers op elkaar, eindeloos kwebbelen...'

Hij grijnst van oor tot oor. 'Dan wens ik je welterusten, Manou.'

Hij pakt haar stevig beet en zoent haar op de trillende lippen. Twee mannen op één dag die haar kussen.

Hij laat haar los en is met een paar stappen de kamer uit. Manou hoort hem de trap afroffelen. Langzaam loopt ze achter hem aan om de winkel af te sluiten.

Wat zal de nieuwe dag hun brengen?

15

VEEL HEBBEN DE BETROKKENEN NIET GESLAPEN, DIE NACHT.
Manou is vroeger op dan normaal en het liefst zou ze Emmelien bellen. Maar ze geeft geen gehoor aan die impuls. Want ze weet zeker dat Emmelien zelf, als er goed nieuws was, dit rondgebeld zou hebben.

Met dikke ogen van de slaap begint Manou aan de nieuwe dag.

Ze opent de winkel. Wie weet wat een of andere klant kan vertellen. Dan is er toch telefoon van Emmelien. Of Manou Ietje wil inschakelen? 'Ik wil de winkel niet sluiten. Zo van: wegens omstandigheden... Het is toch afwachten. En ondertussen kan ik Ietje in de winkel wegwijs maken. Wie weet hoe hard ik haar binnenkort nodig heb.'

Geen nieuws. Waar zou Jelle de nacht hebben doorgebracht en vooral, hoe?

Later op de dag hoort Manou dat Ron de busmaatschappij heeft gebeld om te vragen welke chauffeurs op het bewuste tijdstip dienst hadden en mogelijk Jelle hebben vervoerd?

Ook de politie is in actie gekomen. Jelle is als ex-militair een bijzonder geval.

Manou polst sommige klanten die ze kan vertrouwen en vraagt of ze Jelle de Goede misschien gezien hebben?

Zonder resultaat. Tussen de middag komt Fabian haar een broodje kroket brengen. Hij ziet er meer dan ooit uit als een struikrover. 'Het ziet er niet goed uit, Manou. Ik vrees het ergste. Kwestie van tijd, dan komt hij boven water. Misschien wel letterlijk!'

De dag lijkt niet om te komen. Vlak voor zes uur staat opeens Ietje in de winkel, met Puckie aan de hand. 'Ik neem haar mee naar huis. Het kind is niet dom, zit van alles te vragen en ze loopt gigantisch in de weg. Het ging prima in de winkel. Emmelien houdt zich flink, maar het is de vraag hoelang ze het volhoudt.'

Ook de volgende dag komt er geen schot in de zaak. Het zoeken wordt overgedaan, dit keer professioneel. Het vervelende aan de zaak is dat de pers erachter is gekomen.

'Dankzij Jelle komen we op de kaart,' zegt Emmelien bedrukt.

Ze vecht met haar schuldgevoel. 'Jij hebt straks slachtofferhulp nodig,' voorspelt Manou als ze samen in Emmeliens keuken zitten en als maaltijd een blik soep opentrekken.

De telefoon staat niet stil, wat hinderlijk is. Telkens weer die hoop!

'Ik pak 'm wel.' Manou loopt naar de kamer en pakt de telefoon uit de houder. Ze hoort een onbekende stem die naar Emmelien vraagt.

'Zegt u het mij maar.'

Het is geen goed nieuws. Vanochtend vroeg heeft haar zus Hanna een ernstig ongeluk gehad. 'Jim, jij bent het toch? De zwager van Emmelien? O, vertel op, hoe ernstig is het?'

Nu loopt Manou met de telefoon in haar hand naar de keuken.

'Moment, Jim. Ik geef je Emmelien.'

Emmelien kijkt haar met bange ogen aan. 'Het gaat om je zus. Ze heeft een ongeluk gehad...'

Emmelien verbreekt totaal overstuur de verbinding. 'Ze was op weg hier naartoe, ik had haar over Jelle ingelicht. Ze zei meteen te komen. Nog meer dat mijn schuld is!'

Tot Manous dankbaarheid stapt Ron de keuken binnen. Hij is ook al op de hoogte van het slechte nieuws.

Als de gemoederen weer wat bedaard zijn, trekt Ron een stoel naar zich toe en gaat aan de tafel zitten, kijkt in het soepblik of er nog wat in zit. Manou wijst op een pannetje dat op het fornuis staat.

'Stukje brood erbij?'

Ron pakt de handen van zijn zusje en zegt dat het ene probleem vastzit aan het andere.

'Ik denk nu aan Margriet. Zij wordt klaargemaakt voor een transplantatie. Dat kan nu niet doorgaan, neem ik aan. Hanna moet nu voor zichzelf vechten. Wat te doen, Emmelien?' Ondertussen kijkt hij Manou aan.

O ja, Manou begrijpt onmiddellijk waar hij heen wil.

Ze laat het restje soep nog net niet aanbranden. Als ze een kom voor Ron neerzet plus een stukje beboterd brood, wijst hij op een stoel. 'Nu is het geen tijd, Manou, voor onze eigen geheimpjes. Er staat een mensenleven op het spel.'

Emmelien kijkt hen verbaasd aan. 'Je doet net of Manou wat aan de situatie kan veranderen. Je spoort niet meer, zeg!'

Ron neemt bedachtzaam een hapje brood dat hij in de soep heeft gedoopt.

'Misschien kan ze dat ook. Manou, geef je me toestemming om Emmelien in vertrouwen te vertellen wat jij en ik ontdekt hebben?'

Manou knikt stom. En denkt: vergeef me, mama. Dit had ook ik niet kunnen voorzien.

Ron bezit het vermogen dingen kort samen te vatten zonder de werkelijkheid tekort te doen.

'Het zit zo. Riekje, dat is Manous moeder, heeft vóór haar huwelijk een kortstondige relatie gehad met onze vader. En wel zo, dat Riekje zwanger werd en korte tijd later met meneer Altena trouwde. Niemand was op de hoogte van het feit dat Manous vader niet haar biologische vader was...'

Emmelien, moe als ze is, heeft moeite de juiste conclusie te trekken. Maar als het muntje is gevallen begint ze te stralen. Ondanks de ellende die hun is overkomen.

'Dan ben jij mijn zusje! Wauw! Mijn halfzusje. Tante Louise had toch gelijk! Ik begrijp dat het *top secret* is. Nou, van mij hoort niemand iets. O...' Ze slaat een hand voor haar mond, kijkt van Ron naar Manou.

'Nu begrijp ik het helemaal. Je denkt aan donatie! Het zóu tot de mogelijkheden kunnen horen... Wil je dat wel?'

Huilen en lachen.

Manou zegt met trillende stem dat Emmelien goed moet begrijpen dat vanwege haar moeder, dit alles zo geheim mogelijk gehouden moet worden. 'Mocht ik de juiste cellen hebben, dan nog hoeft niemand, behalve de betrokkenen, dit te weten.'

'Dat ik het zelf niet geraden heb. Je bent er een van ons. Dat is duidelijk! Maar nu Hanna. Ik wil naar haar toe. Ron? Manou, wil jij hier de wacht houden? Stel dat er iemand belt, of dat Jelle uit zichzelf thuiskomt. Dat kan toch?'

Manou is tot alles bereid wat de familie maar kan helpen. Ze begrijpt heel goed dat Emmelien en Ron naar hun zus willen.

Als ze alleen is, zoekt Manou bezigheden. Ze ruimt de keuken op; ook de kamer heeft een verzorgende hand nodig. Er wordt regelmatig gebeld en soms komt er iemand aan de deur voor informatie of om hulp aan te bieden.

Als Manou zit uit te rusten, bedenkt ze met schrik dat haar moeder vandaag of morgen thuiskomt. Ze is niet van plan haar telefonisch op de hoogte te stellen. Het zou een stempel op hun huwelijksreis drukken.

Enerzijds vindt ze het rampzalig dat Ron hun geheim heeft verklapt, anderzijds is het geweldig dat ze met Emmelien een echte zussenrelatie kan aangaan!

Zo is er heel wat te overdenken.

Manou ziet het buiten schemeren. Later valt de duisternis, maar ze maakt geen licht. Ze dommelt af en toe van pure uitputting weg, schrikt van de telefoon telkens wakker. Maar als ze de auto van Ron hoort aankomen, springt ze op om lampen aan te doen.

'Ze is niet dodelijk gewond, maar er is ook niet veel meer heel aan Hanna. Jim was ontroostbaar. Nu moeten we het nog aan papa en mama vertellen.'

Ron is de kalmte zelf, en lijkt in een paar dagen nog meer volwassen geworden te zijn.

Emmelien valt Manou om de hals. 'Zusje! Ik zou het 't liefst met grote letters in de krant willen zetten. Maar wees gerust, het blijft geheim.'

Manou loopt naar de keuken en besmeert crackers met dunne plakjes rookvlees en komijnekaas. Emmelien dribbelt achter haar aan, terwijl Ron op zoek gaat naar een fles wijn.

'Kun je hier blijven slapen?' smeekt Emmelien. Maar daar steekt Ron een stokje voor. 'Ik denk, Emmie, dat onze zus verlangt naar haar eigen bed en net als wij doodmoe is. We moeten proberen wat te rusten, zodat we morgen energie hebben om wat dan ook onder ogen te zien.'

De volgende dag is Ron al bij Manou aan de deur voor de winkels open zijn. 'Je begrijpt waarom ik kom. Ik heb in het ziekenhuis een afspraak gemaakt. Er is háást bij, meisje!'

Manou begrijpt dat er geen weg terug is.

'Ik zal zien. Misschien wil Ietje wel komen. Dan moet Emmelien het maar zonder haar redden. Was je bang dat ik terug zou krabbelen?'

Ron schudt zijn hoofd. 'Nee lieverd, echt niet. Ik ken je ondertussen veel te goed. We moeten geen valse hoop koesteren. Want het is mogelijk dat je totaal niet geschikt bent. Ik heb met Emmelien en Jim afgesproken dat we nog niets over Hanna's ongeluk vertellen. We wachten af of jij geschikt bent als donor. Dan is het nog vroeg genoeg! En ondertussen moet het werk doorgaan. Ik heb telkens een andere pet op. Dan weer moet ik naar de politie, dan weer naar de garage. Enfin, hopelijk breken er ooit andere tijden aan. Manou, je bent een geweldige... zus!'

Heel even omarmen ze elkaar.

'Ik ga Ietje vragen van winkel te wisselen. Dan kom ik je halen, Manou. Verzin maar iets wat we tegen Ietje zeggen.'

Als Ron met Manou wil wegrijden, houdt Fabian hen tegen. Met zijn fiets in de hand informeert hij waar de reis naartoe gaat.

Ron probeert zo dicht mogelijk bij de waarheid te blijven.

'We gaan naar moeder. Ze heeft hard wat steun nodig, weet je. We spreken elkaar gauw en ik heb mijn mobiel aanstaan.'

Ron geeft te veel gas en ze stuiven weg.

'Wat zal die van ons denken,' vraagt Manou zich af. Ron kijkt opzij. 'Je valt op hem, is het niet? Nou, ik kan je zeggen dat die kerel boft!' 'Toe nou...' zegt Manou.

Zwijgend leggen ze de rest van de weg af. Er is veel te veel om over na te denken.

Zowel Manou als Ron en zijn zus zijn verbijsterd als ze horen dat Manou geschikt is als donor.

'Hoe is het mogelijk!' Emmelien vergeet heel even de angst om haar man. Ze danst door het huis, omhelst de anderen om beurten. Manou weet ondertussen hoe het allemaal zal gaan gebeuren. Er komt méér bij kijken dan ze dacht.

'Je moet natuurlijk kerngezond zijn. Voor zover je weet bén je dat ook.'

Al met al betekent het wel dat Ietje vaker moet inspringen.

'We moeten echt een grote smoes voor iedereen die nieuwsgierig is, verzinnen. Eén keer kun je wegkomen met een zogenaamd bezoek-je aan de patiënt. Als je Ietje kent, weet je ook hoe 'belangstellend' ze is naar het doen en laten van anderen.'

'Je kunt toch gewoon zeggen dat je zélf voor controles naar het ziekenhuis moet? Of anders bedenk je een zieke vriendin, een familie-lid... Ik denk niet dat anderen jouw afwezigheid in verband zien met de donaties die Margriet moet ondergaan.'

Manou kan niet goed liegen, maar een andere mogelijkheid ziet ze niet. 'Ik zal het er met mijn moeder over hebben.'

Riekje en Alex komen uiteindelijk een dikke twee weken na de bruiloft thuis. Het steekt Manou als ze ziet dat het zo goed gaat met haar moeder. Ze straalt. Alex maakt een tevreden indruk. Tot hij verneemt dat Jelle onvindbaar is.

Hij stapt meteen op zijn fiets om bij Emmelien de details te horen. Zo komt het dat Manou het reisverslag alleen van de kant van Riekje te horen krijgt. Ze bewondert de meegebrachte cadeautjes en toont zich verrast.

'Ik heb ook wat te vertellen, mam!'

Riekje zet zich op een van haar nieuwe stoelen. 'Als je maar niet komt vertellen dat jij en die Ron...' Manou heft beide handen op om haar moeder het zwijgen op te leggen.

'Het gaat indirect wél om hem. Mam, hij weet immers van ons. Hij weet al dat we dezelfde vader hebben en ik zal je vertellen wat het vervolg daarvan is.'

Riekje verbleekt. 'We hadden toch een afspraak!' Ze klinkt bitter en dat kan Manou goed begrijpen. 'Mam, het gaat om Margriet Herwaarden. Zus Hanna is de enige die geschikt is als donor. Je weet wel, beenmergtransplantatie. Nu wil het geval dat Hanna op weg naar Emmelien een ernstig auto-ongeluk heeft gehad. Niet dodelijk, maar, zoals ik zei, behoorlijk erg. Hanna is dus wat betreft donatie uitgeschakeld. Ik ben met Ron naar het ziekenhuis geweest... Je begrijpt het al. Bloed aftappen, controleren en ja, ik ben de enige die hem helpen kan. Als het allemaal aanslaat... Er komt heel wat bij kijken en ik heb ginds een paar afspraken lopen. Mam, het was overmacht! Ron en Emmelien hebben beloofd dat ze dit nooit verder zullen brengen.'

Riekje zit, met de handen ineengestrengeld in een verstijfde houding die voor zichzelf spreekt, Manou aan te staren.

'Zonder jouw inbreng zou ze dus sterven. Doodgaan... het is niet te geloven! En jij denkt dat die familie zich van de domme houdt? Wat een toestand. En ik dacht nog wel: na al die jaren legt niemand meer een verband tussen mijn jeugdvriendje en jou.'

Manou vertelt hoe bijzonder het is als er een donor gevonden wordt. 'En dat het nog op tijd is. Met alleen de transplantatie is Margriet er nog niet. Zij moet medicatie nemen en wordt in een soort tentje verpleegd zodat er geen bacteriën bij kunnen komen. En ik geloof ook dat zij bestraald moet worden. Kortom, ze zal nog zieker worden dan dat zij nu is, mam.'

Riekje huilt zacht. Of het om de zieke gaat, of dat ze geschrokken is van hun uitgelekt geheim, dat weet Manou niet.

Ze krijgt medelijden met Riekje. Zonet was ze stralend blij en nu is daar een domper op gezet. Ze gaat bij haar moeder op de leuning van haar stoel zitten. 'Mama, zie het niet zo somber in. Het heeft allemaal zo moeten zijn. Als ik het op die manier bezie, kan ik het aan.'

Alex komt de kamer binnen en zo te zien is ook hij van streek.

'Hoe is het mogelijk, die jongen is bepaald niet suïcidaal. Er zijn wel momenten dat hij roept niet verder te willen, maar volgens mij meende hij dat niet. En nu is hij verdwenen! Zoiets is onmogelijk. Hij is niet in staat op eigen gelegenheid ervandoor te gaan.'

Manou heeft Alex Moerman nog nooit opgewonden gezien. Zijn gezicht is rood van opwinding en hij gebaart als een dirigent met beide handen.

'Manou heeft nog iets vervelends verteld, Alex. Ga zitten, en Manou, leg het Alex ook eens uit.'

Alex begrijpt de situatie al wanneer Manou nog maar halverwege haar relaas is. 'Dat zijn dingen waar je voor komt te staan. Wij, vooral Riekje, kunnen verontwaardigd zijn. We denken aan onszelf, maar voor die familie is het de enige kans hun dochter en zus te mogen behouden. We komen er met ons allen wel doorheen. Riekje, je hebt nu mij en probeer het verleden los te laten. Anders hebben we geen leven.'

Manou vindt dat het moment is aangebroken om hen alleen te laten. 'Helpen jullie me alsjeblieft een smoes te verzinnen, al was het alleen al tegenover Ietje, wat betreft mijn tochtjes naar Amsterdam.'

Riekje vindt het niet nodig Ietje als vervangster in te schakelen nu zij terug is. 'Dacht je dat ik geen kandelaartjes zou kunnen inpakken? Ik ken ondertussen aardig wat mensen hier ter plaatse en jou vervangen lijkt me niet moeilijk.'

Manou bekent dat ze daar geen seconde aan heeft gedacht. Alex lacht. 'Goed zo, Riekje van me, jij laat je er niet onder krijgen. Dit alles gaat voorbij. Zoals alles voorbijgaat. Manou, je bent een kei.

Alleen moet je Hem niet vergeten. Soms werkt de Here op gebed om genezing, maar vaak zijn de doktershanden nodig. Zo word jij nu door Hem gebruikt. Als je het zo leert zien, wordt het gemakkelijker voor je.'

Na enkele dagen is er nog geen spoor van Jelle. Emmelien vindt dat de tv ingeschakeld moet worden. 'Vermist! Hij is vermist en beslist voor honderd procent bij zijn verstand.'

Dat zijn de betrokkenen met haar eens.

Emmelien heeft een paar vrienden van hen uitgenodigd, onder wie Fabian en Alex. Manou en Riekje zijn automatisch meegekomen. Het voelt niet aan als visite, maar meer als een vergadering.

Alex neemt het woord. 'We moeten verder terug dan de bewuste dag van de verdwijning. Waar praatte hij over? Wat hield hem bezig? Dat weet Emmelien, maar ik ook.'

Emmelien schaamt zich om aan te halen dat Jelle die dag Manou heeft lastiggevallen. 'Dat is ook mijn eigen schuld, ik heb hem, wat je noemt, afgeweerd. Hij kuste Manou, maar dacht aan mij. Zeker weten!'

Manou voelt zich ongemakkelijk als dat gedeelte van die dag wordt aangesneden.

Ze begint vlug te vertellen wat Jelle er uit heeft gegooid. 'Het zit hem zo hoog dat hij nog in leven is, terwijl zijn maten omgekomen zijn.'

Alex prikt een wijsvinger in de lucht. 'Daar zit 'm de kneep, mensen. Als hij de benen heeft genomen, is dat gepland. Laten we dáár eens over nadenken!'

Het is teleurstellend dat niemand, niet één passant, Jelle heeft opgemerkt. Terwijl hij als invalide toch wel opgevallen zou zijn.

'Een auto die voor het tuinhekje stopt, iemand stapt uit en helpt hem instappen. Hoeveel tijd is daar mee verstreken? Dat is een kwestie van een minuut of nog korter.'

Emmelien maakt een lijst van Jelles vrienden. Af en toe bellen ze. Natuurlijk zijn er ook mannen bij van zijn compagnie, die ondertussen thuis zijn. 'De politie heeft zijn adresboekje.' Alex belooft morgen op het bureau te gaan praten.

Uiteindelijk valt er niets meer te bespreken. Het is of al het mogelijke al is gezegd.

Riekje informeert bij Fabian of zijn ouders alweer gewend zijn. Ze wil hen graag ontmoeten en bedanken voor de periode dat ze hun huis mochten huren. 'Ze zullen het wel prettig vinden dat je weer thuis bent.'

Fabian deelt kalm mee dat hij voorlopig bij Ron woont. 'En je vriendinnetje?'

Fabian laat zijn ogen even op Manou rusten voor hij antwoord geeft. 'Wie bedoel je?'

'Nou ja, dat is toch duidelijk? Je was zo dik met Marjan.'

Fabian haalt zijn schouders op. 'Ja, maar ik heb méér vriendinnen, Riekje. Zo speciaal was Marjan niet. We hebben hetzelfde beroep en dat schept een band.'

Riekje voelt zich op haar nummer gezet en begint over iets anders. 'Ik bel je moeder morgen.'

Manou is de eerste die opstapt. Ze is de laatste dagen moe van spanning. Er komt zoveel op haar af.

Tot haar schrik staat Fabian ook op, groet het gezelschap en loopt met Manou mee. Hij fietst met haar naar huis alsof ze dat afgesproken hebben.

'Ga je even mee naar de bouw kijken?' Hij zegt het dwingend en Manou durft niet goed te weigeren. Ondertussen vertelt Fabian over de uitgewerkte verslagen van de opgravingen op de plek van het voormalig klooster. Zijn aandeel was het zorgen voor de juiste foto's. 'Als je belangstelling hebt, wil ik wel langskomen om het te laten zien.'

Ze stappen af, vlak voor de hekken waarachter nu bouwmateriaal ligt. 'Vanzelf,' zegt Manou. 'Kijk toch, die zware balken. En dan te bedenken dat mensen vroeger alles met de handen moesten doen. Nu vliegt een huis als het ware de lucht in.'

Fabian is tevreden en zegt dat de bouwvakkers op schema zijn. 'Ik maak geregeld foto's van alle fases. Dat is leuk voor later. In mijn winkel hang ik een reeks van de meest geslaagde opnamen.'

'Dan heb jij, net als ik, ook een eigen huis. Alleen is dat van jou luxer en modern.'

Fabian opent zijn mond om wat te zeggen, maar bedenkt zich.

'Ik hoop dat mijn zaak net zo goed gaat lopen als de jouwe,' zegt hij, in plaats van: mijn huis is groot genoeg voor twee mensen.

Als ze uitgekeken zijn, haalt Fabian haar over een stukje buiten het dorp te fietsen. 'Ik denk dat jij nog onbekend bent met de bossen en wegen die door de velden gaan. Terwijl dit een van de mooiste stukjes Nederland is!'

Manou snuift de geur van dennen op en opeens is daar een nieuw gevoel. Ondanks al dat andere.

Een gevoel van tevredenheid. Alsof ze is thuisgekomen na een vermoeiende reis. 'Heerlijk is het hier. En de beloning voor het stevige trappen is dat je heuvelafwaarts opeens vanzelf gaat.'

Fabian laat haar voorgaan en geniet van wat hij ziet. Een jonge vrouw waar zijn hart naar uitgaat. Waren er maar niet meer kapers op de kust! Manou die Ron omhelst. Hij heeft het met eigen ogen gezien. Hij drukt die gedachte, de herinnering, weg en dwingt zich te genieten van het moment. Manou kijkt om. 'Het wordt weer klimmen!'

Als ze bij Manous winkeltje zijn, is het donker.

'Ik wil wel vragen of je meegaat om wat te drinken, maar eigenlijk ben ik hard aan een lange nachtrust toe.'

Fabian knikt. Er komen hopelijk nog meer gelegenheden.

'Slaap dan maar lekker.'

Van slapen komt niets.

Het stormt in Manous hoofd. Fabian, zijn donkere gezicht. De onbekende Margriet. Anton Herwaarden, die zonder het te weten haar vader is.

Nog een paar dagen, dan is het zover.

Het is niet nodig dat de patiënt wéét wie haar donor is. Misschien, ooit, veel en veel later.

Maar diep vanbinnen groeit bij Manou de wens dat Margriet en de andere gezinsleden de waarheid te horen krijgen. Ook, en misschien wel vooral, haar biologische vader.

16

ALS MANOU HAAR AANDEEL AAN DE TRANSPLANTATIE HEEFT GELEVERD, valt er een last van haar af. Nu begint voor Margriet de strijd op leven en dood. Zelf is Manou lichamelijk de ingreep, die onder narcose heeft plaatsgevonden, snel te boven. Emmelien en Ron weten niet hoe ze haar moeten bedanken. Het liefst wilden ze wereldkundig maken dat het Manou is die redster in de nood is.

Voor de buitenwereld wordt het: er is op tijd een donor gevonden.

Op een lenteavond, als Manou in haar tuintje geniet van alles wat groeit en bloeit, morrelt er iemand aan de klink van de poort.

'Ron! Er is toch niets? Waarom...'

Ron duwt haar de tuin in en zegt namens Emmelien en hem te komen. 'Je krijgt een cadeautje van ons. Jawel, een herinnering aan deze periode. Emmeliens hoofd staat er niet naar om iets uit te zoeken, en liet het aan mij over.'

Manou schudt haar hoofd. Ze wil alles het liefst zo snel mogelijk vergeten, achter zich laten en nu krijgt ze zelfs een herinnering.

Ron trekt haar mee het huis in. 'De buren hoeven niet te horen wat wij te zeggen hebben.'

Het is warm op de bovenverdieping, de zon heeft de hele middag op de achterkant geschenen. Maar de deuren naar het balkonnetje staan wijd open, bloemengeuren drijven naar binnen.

'Ik ben er verlegen mee. Dat hadden jullie echt niet moeten doen.'

Ron plaagt: 'Je mag me zo bedanken. Bekijk het eerst maar eens.'

Een doosje van een juwelier, dat ziet een kind. Manou opent het dekseltje en slaakt een kreet van verrassing.

Een gouden kettinkje met eraan een hartje waarin verschillende edelsteentjes zijn verwerkt. Eromheen, volgens Ron, een met gouddraad gebreid randje. Manou lacht nerveus.

'Filigrain,' zegt ze. Ron gaat achter haar staan om de ketting die ze nu draagt los te maken. 'Dat vrouwen zich tooien met veel rijen kralen, ik vind het iets primitiefs hebben.' Ook hij is nerveus en pakt het gouden sieraad uit Manous hand.

'Laat mij het je omdoen. Ja, het is een goede keus.'

Ron houdt haar op armlengte van zich af.

'Het staat je geweldig. Maar je mag het ruilen...'

Manou loopt naar een spiegel en ziet dat Ron niet heeft overdreven. Ze omarmt hem even. 'Dankjewel, broertje.'

Later, als Ron naar huis is, belt ze Emmelien om haar te bedanken. Veel tijd heeft Emmelien niet, want ze is bezig om met Alex het adressenboekje van Jelle na te pluizen. Ook al heeft de politie hetzelfde gedaan, ze hopen toch een aanknopingspunt te vinden.

Alex denkt iets gevonden te hebben.

'Die gesneuvelde jongens, staan die adressen er niet in?'

Emmelien denkt van niet. 'Dat heeft immers geen zin. Jelle heeft dit boekje na thuiskomst ingevuld. Het was een cadeautje van Puckie voor papa. Een dingetje uit de winkel. Waar hij zijn oude heeft gelaten, weet ik niet. Dat zal wel weg zijn. Maar we kunnen zonder moeite achter die adressen komen. Anderen zullen echt wel weten waar die jongens gewoond hebben. Maar dat kun je toch niet maken, Alex, de families lastigvallen.'

Toch gaat Alex zijn gang.

De volgende ochtend brengt hij bellend door. Zoals hij al verwachtte, zijn allen hem welgezind en ook nog eens behulpzaam.

De broer van een omgekomen soldaat weet te vertellen dat er een vriend, net als de familie, ontroostbaar was. 'Hij heeft zelf kort in het leger gezeten, maar op tv zag hij genoeg. Net zoals wij allemaal. Maar die vriend is behoorlijk... gestoord. Kon zich in dienst niet handhaven. Gestoord! Ja, dat begrip is terecht.'

Alex wil de woorden wel uit de man trekken.

'Wij zijn machteloos, moeten accepteren. Dat doet híj niet! Ik acht hem best in staat om actie te ondernemen, wraak te nemen op iemand die de ramp wél heeft overleefd.'

Het is maar een dun draadje, vindt Alex. Maar moeten niet alle draadjes, ook de dunne, nagegaan worden in de hoop dat ze ergens heen leiden?

Alex krijgt zonder moeite de gegevens van de gestoorde vriend. Bellen is geen optie, vinden hij en Emmelien.

'Ik ga eropaf,' vindt Alex.

Riekje smeekt hem iemand mee te nemen. Ron en Emmelien vallen af, zij gaan zo vaak ze kunnen naar het ziekenhuis om hun moeder te steunen. Aanvankelijk is het Fabian die meegaat, maar hij krijgt onverwacht een belangrijke opdracht voor een fotosessie. Manou biedt haar hulp aan. 'Ik kan mijn moeder of Ietje vragen de winkel te doen. Dit keer is de reden van mijn bezigheden geen geheim.'

Alex rijdt snel maar neemt geen overbodige risico's. Manou vindt het prettig om hem op deze manier wat beter te leren kennen.

Hij is gelijkmatig van humeur en minder zwijgzaam dan Manous vader – papa – was.

Ze rijden naar een dorp in Overijssel. De bewuste jongeman blijkt in een boerderij te wonen. Een boerderij, die volop in bedrijf is.

'Blijf jij maar zitten, ik ga er alleen op af. Eerst eens zien of de jonge-man in kwestie thuis is.'

Alex beent weg, op zoek naar de voordeur, die opzij van het huis is. Korte tijd later is hij terug. 'Ik trof een vrouw, de moeder, die behoor-lijk van streek is. Ze beweert dat haar zoon onlangs vertrokken is, zonder mee te delen wat hij van plan was en waarheen de reis zou gaan. Ik wil nu toch wel graag dat je mee naar binnen gaat.'

Manou heeft moeite de prop in haar keel weg te slikken. Ook kan ze Alex met zijn lange benen niet bijhouden. 'Alex, klopt de datum van zijn vertrek met die van Jelles verdwijning?'

Alex houdt zijn pas in, pakt Manou onder een arm. 'Rustig maar, ik voel dat we op het goede spoor zitten. Hopen en bidden dat we de juiste manier van aanpak gebruiken. De moeder is behoorlijk opge-fokt.'

'Geen wonder.'

Achter elkaar stappen ze de woonkeuken binnen. Een vrouw van middelbare leeftijd staat met een theepot in beide handen, midden in het vertrek. Haar gezicht is rood, alsof ze het zojuist met groene zeep heeft geboend. Manou steekt haar hand uit en de theepot wordt op tafel gezet.

'Ik zal maar meteen beginnen. Maar eerst een kopje thee.'

Zittend aan een ronde tafel zetten ze zich tot luisteren. Manou is dankbaar voor de thee. Haar keel is droog van spanning.

'Ik kan kort zijn. Onze jongen, Dirk, was vanaf dat-ie praten kon, gek op alles wat met soldaten te maken had. Hij wilde legerbroeken, had dozen vol jeeps. Dat bleef zo tot aan zijn volwassenheid toe. En natuurlijk wilde hij beroeps worden. Eerst ging het goed. Tot er zich een schietincident voordeed waarbij gewonden vielen. Het was echt een ongeluk. Toen knapte hij af. Later werd hij toch weer goedgekeurd. Maar eenmaal op weg in het vliegtuig naar een oorlogsgebied sloeg hij door en maakte stennis. Men zag het even aan, maar zijn gedrag was van dien aard dat hij weer naar huis werd gestuurd. De begeleiding die hij kreeg aangeboden saboteerde hij. En toen zijn beste vriend sneuvelde, kreeg hij opnieuw een aanval van razernij. Waarom overleefden anderen de aanslag en zijn vriend niet? Daar bleef hij weken over zeuren.'

De boerin veegt langs haar ogen. Manou zou haar willen troosten, maar is er wel troost voor dat verdriet?

'En opeens vertelde hij dat ie op vakantie ging. Waarheen? Dat wist hij nog niet. Misschien kamperen... Hij gooide van alles en nog wat in zijn auto. Zei ons gedag en was weg. Zijn mobieltje heeft hij niet eens meegenomen. Wat kunnen we doen? Hij is volwassen en al zeggen wij dat hij vermist is, volgens de regels is hij gewoon op vakantie.'

De vrouw schenkt de thee bij en vervalt in zwijgen.

'Dat is een droevig verhaal. Hebt u niet één indicatie waar hij zich zou kunnen bevinden en... kan het zijn dat hij gewelddadig is?'

De verdrietige moeder zegt haastig dat dit alleen het geval is als hij zijn 'aanvallen' heeft.

Manou en Alex kijken elkaar aan. Een aanval kan meer dan genoeg zijn om iemand ernstig letsel toe te brengen.

Of hij in de omgeving van Hoogwouden bekend is?

De boerin begint te lachen. 'Dat zou ik denken! Toen hij een kind was, huurden mijn ouders daar een zomer lang een huisje. Om de beurt mochten wij, mijn broers en zussen, met onze gezinnen daar een weekje zijn. Terwijl wij toch zo moeilijk weg konden! Altijd het bedrijf... Enfin, Dirk mocht ook bij de ooms en tantes logeren. Dus hij was bijna de hele zomervakantie van huis. Hoe dat vakantiepark heette, weet ik niet meer.'

Alex noemt de naam Herwaarden, maar dat zegt de vrouw niets.

'Het kan ondertussen al lang in andere handen zijn overgegaan.'

Ze blijven nog een halfuurtje praten, in de hoop meer aanknopingspunten te vinden. Helaas is dat niet het geval.

Toch zegt Alex, als ze op de terugtocht zijn, dat het de moeite waard is om het vakantiepark uit te kammen.

Omdat de middag nog niet voorbij is, rijdt Alex Hoogwouden voorbij en koerst regelrecht naar het park. 'Ik ken het daar vrij goed, ondanks het feit dat ik hier nog niet gek lang woon. Ook ik heb daar als kind gekampeerd. En toen ik me hier gevestigd heb, leidde ik een groep scouts. Padvinders... Dat was geweldig leuk. Wat doen we, ons bij de receptie melden of gaan we op zoektocht?'

Manou weet niet wat het beste is. 'Denk jij dan dat hij Jelle ergens verborgen houdt?'

Manou bedenkt dat de ellendigste mogelijkheden waar kunnen zijn.

'Als het maar niet erger is. Mensen kunnen zo doordraaien dat ze tot van alles in staat zijn, Manou.'

Op het terrein is het al een drukte van belang. Ouders met jonge, nog niet schoolgaande kinderen scharrelen er rond, maar ook oudere mensen brengen hun vakantie hier door.

'Weet jij dan plekjes die illegaal zijn, Alex? Ik denk toch niet dat die Dirk zo dom is om zich in te laten schrijven.'

Dat zet Alex aan het denken.

Hij zet de wagen stil op het parkeerterrein bij het hoofdgebouw. 'Ik denk dat we eerst zelf op onderzoek moeten uitgaan. Heb je goede schoenen aan?'

Manou kijkt naar haar sandalen. 'Best wel.'

Alex pakt een rugzak en zegt altijd een fles bronwater bij zich te hebben als hij op pad gaat.

Ze hebben geen oog voor de prachtige omgeving. De struiken zijn al groen hoewel een paar boomsoorten nog lijken te aarzelen met het uitbotten van de knoppen.

Manou herinnert zich hier met Fabian gereden te hebben. Rechts en links van hen staan aardige huisjes op de heuvels en in de dalen. 'Wel erg dicht op elkaar,' vindt Manou.

Alex vertelt dat dit vroeger niet het geval was. 'Maar sinds het park in handen van Herwaarden is, staan er hypermoderne huisjes en het aantal is verdriedubbeld.'

Alex lijkt met een vast doel voor ogen zijn weg te zoeken. 'Waar wil je heen? Is er nog een gebouw van de padvinders?'

Alex zegt dat de groep is opgeheven en naar een dorp verder is verkast. 'Ik gok op het clubgebouw. Ik meen te weten dat het er nog staat. En het is alleen te vinden voor wie er bekend is, begrijp je.'

'Zullen we niet iemand bellen, zodat ze weten dat we hier zitten?' huivert ze. Alex zegt dóór te willen.

Als ze de huisjes achter zich hebben gelaten, stuiten ze op een beek. 'Geen brug?' denkt Alex hardop. De beek is breed en diep, er stroomt onverwachts veel water in. 'Er zijn bronnen, verderop in de bossen. Moet je eens gaan kijken.' Ze lopen door en dan ontdekt Manou aan de overkant een brede plank die gemakkelijk als brug kan dienen.

Alex knikt en speurt om zich heen om te zien of er een andere mogelijkheid is om over te steken. Er zit niets anders op dan door te lopen tot daar waar de beek smaller wordt. 'Kunnen we niet gewoon door het water?' Alex zegt dat dit een optie is.

'Daar liggen stapstenen in het water. Daar zouden we over kunnen steken. Schoenen uit en voorzichtig stappen!' Het lukt, zij het met moeite. Het is doodstil in het bos. Af en toe knapt er een takje van droogte. Eekhoorns springen hoog boven hen van boom tot boom.

'Waarom lopen hier geen vakantiegangers?' vraagt Manou verbaasd.

Alex meent dat mensen in het algemeen bij elkaar hokken.

'Een enkeling trekt er liever alleen op uit.'

Alex moet zich oriënteren. Met het verstrijken van de tijd verandert een bos. De bomen groeien groter, er wordt gekapt en laag struikgewas belemmert het uitzicht.

Dan vindt hij een herkenningspunt. 'Daar! Die diepe kuil. Daar sprongen de jongens in, gleden omlaag.'

Heel in de verte schemert iets door de bomen dat een gebouw zou kunnen zijn. Achter elkaar worstelen ze zich door de takkenbossen. Manou kan de opgelopen schrammen niet meer tellen.

Inderdaad, ze stuiten op een verwaarloosde keet.

'Nu stil blijven staan. Als die knaap daar zit, zal hij niet blij zijn met bezoekers. Ook al zou hij niets met Jelle van doen hebben.'

Alex gaat alleen verder, Manou, die zich schuilhoudt achter een boom, alleen latend.

Ze hurkt neer en ziet Alex gebukt langs de smerige ramen lopen.

Op een gegeven moment geeft hij Manou een teken. Ze duikt nog dieper weg, bang en benieuwd voor wat er komen gaat.

Alex weet zichzelf nog net op tijd terug te trekken voordat er een deur openvliegt en er een in legerkleding gehulde man naar buiten stapt, de deur vergrendelt en dwars door het bos richting beek loopt. Manou denkt te weten wat zijn doel is: de beek oversteken waar de plank ligt.

Ze wachten een minuut of wat. Dan ziet Manou dat Alex in beweging komt en ze aarzelt niet om naar hem toe te gaan.

Alex tracht door de ramen te kijken, maar ze zijn zo vuil dat dit vergeefse moeite is.

Manou is doodnerveus. 'Als hij daar zit, Alex, moeten we een raam ingooien. Die deur is stevig verankerd. Zie dat slot eens.'

Alex wil geen tijd verliezen en teruggaan om gereedschap te halen.

Hij bonkt op de deur, roept of er iemand aanwezig is.

'We slaan een ruit in, dat is de enige optie.'

Met behulp van een zwerfkei is dat een klusje van nog geen halve minuut. 'Ik kan er wel door,' beweert Manou als ze de afmeting van het raam schat.

Alex tilt haar op en Manou laat zich over de rand omlaag vallen. Het eerste moment ziet ze niets in het schemerduister. Dan ontwaart ze een persoon die op een matras op de grond ligt, plakband over zijn mond.

'Jelle? Jelle!' zegt ze op dringende toon. Een gekreun is het antwoord.

'Hij is het!' roept Manou naar Alex, die betreurt dat zijn omvang van dien aard is dat hij niet door het raam kan klauteren. Ze hebben een zaklamp nodig en nog veel meer dan dat. In de hoek van het vertrek ziet Manou een geweer liggen. Ze huivert ervan. Wie weet waar Dirk toe in staat is! Alex is het wachten beu en trapt aan de andere kant van de hut tegen een verrotte plank, net zo lang tot hij breekt. Met alle kracht die hij heeft weet hij uiteindelijk een toegang te creëren die groot genoeg is voor zijn lijf.

Het eerste wat hij doet is het plakband van Jelles gezicht trekken, wat de man doet jammeren. Hij is ongeschoren en het plakband werkte als een ontharingsmiddel. Het stinkt in de ruimte en zo te zien is Jelle er slecht aan toe. Alex helpt hem overeind. 'We bellen om hulp, jongen. Het leed is nu snel geleden. Manou, bel de politie, het nummer zit erin.'

Hij duwt zijn mobieltje in haar handen.

Vallend over haar woorden weet ze duidelijk te maken waar ze zitten. Ondertussen staat Jelle op zijn benen. 'Die knul... ik ken hem nauwelijks, één keer ontmoet... bij ons vertrek, geloof ik... lokte me... Dorst, ik heb dorst!'

Manou gespt de rugzak van Alex los en even later slobbert Jelle, kreunend van genot, de fles halfleeg. Dan zakt hij in elkaar. Alex dwingt hem bij bewustzijn te blijven.

'Let op hem, Manou. Ik forceer nog meer planken, zodat hij eruit kan.'

Het lukt wonderwel, maar toch komt er een kink in de kabel. 'De politie is er zo, we hebben niets te vrezen,' zegt Alex vastberaden en hij sleept Jelle door de nooduitgang.

Manou kijkt toe en besluit zelf door het raam te kruipen zodat ze alle drie gelijk in vrijheid zijn.

Dan gaat het mis. Ze snijdt zich aan een punt van het glas dat is blijven zitten en even is ze verschrikt door de pijn.

Dan ziet ze Dirk naderen, eerder dan dat ze hem hoort. Ook Alex heeft hem opgemerkt en erop rekenend dat Manou hem volgt, weet hij Jelle weg te krijgen van de keet.

Maar Manou zit vast, ze heeft een onverwachte beweging gemaakt en verstard van angst, weet ze niet of ze vóór- of achteruit moet.

Vloekend en schreeuwend rukt Dirk aan het slot, weet het open te krijgen en duikt op Manou af. Hij ziet meteen dat Jelle is vertrokken. Manou gilt het uit als hij haar ruw omlaag trekt. 'Wat ben je van plan... wat wilde je met Jelle doen?' hakkelt ze.

'Doen?' Dirk heeft duidelijk wat zijn moeder een aanval noemt, een vlaag van verstandsverbijstering.

Hij zet Manou op een wiebelende, ouderwetse keukenstoel, bindt haar benen vast en ja, het plakband wordt ook haar deel. 'Nou heb ik jou,' grijnst hij. 'Die sukkel komt toch niet ver... Haal ik later wel op.'

Hij gaat likkebaardend tegenover Manou zitten en kleedt haar met zijn ogen uit. Manou huivert en zendt een reeks schietgebedjes op. Niet aan denken wat er zou kunnen gebeuren! Hij moet praten, maar zelf kan ze dat niet.

Maar Dirk is vol van zijn eigen gedachten, waar hij haar deelgenoot van maakt. Vertelt driftig wat ze al weet: hij misgunt Jelle dat hij nog in leven is. Iemand moet boeten. Zijn beste kameraad is dood.

Manou hoopt dat de politie geen sirenes gebruikt. Niet aan denken wat Dirk zou doen als hij wist dat er ook nog een Alex in het spel is.

Hij vraagt hoe ze hem heeft gevonden. Of ze wist van de schuilplaats? Manou schudt van nee.

Of was ze aan de wandel, verdwaald? Bosbessen zoeken?

Manou knikt heftig van ja, wat Dirk doet schateren. 'Dan ben je nog te vroeg. Haha! Er zitten nog geen bessen aan de struiken!'

Manou ziet achter hem een paar gezichten voor de ramen verschijnen. Ze zet grote ogen op, wat Dirk achterdochtig maakt. Hij ziet een schim wegduiken, maar het is te laat. Woest en doorgedraaid begint hij te schelden. Ze moeten maar zien dat ze hem krijgen, hij heeft de vrouw. 'Ik steek de boel in de fik! Ik heb de vrouw en die gaat eraan, als jullie dat maar goed weten! Oorlog, het is oorlog!'

Dan begint de keet te schudden, er worden planken weggetrapt en op dat moment breekt bij Dirk paniek uit. Hij grijpt Manou beet en duikt met haar onder een tafel. Ze krijgt een harde klap op haar hoofd en even later zakt ze weg in een duister waar geen geluid en licht meer is.

Het ontgaat haar hoe Dirk overmeesterd wordt.

Niet alleen de politie is gealarmeerd, ook Fabian is van de partij. Hij had een afspraak met een bevriend rechercheur dat, als er nieuws was, hij bericht zou krijgen.

Dodelijk verontrust is hij door het kampeercentrum gereden waar boze mensen verontwaardigd de bermen in sprongen. Bij de plank is het een drukte van belang. Het lijkt een scène uit een goedkope film. Hij dringt zich langs mannen in uniform en waadt door de beek. Met maar één doel: Manou.

Hij is te laat om te zien hoe Dirk wordt overmeesterd. 'Het meisje moet vervoerd. Ze lijkt gewond, er ligt bloed!'

Fabian knielt bij Manou neer en zegt dat haar verwonding een snee in een arm is. Voorzichtig tilt hij haar van de smerige grond en neemt haar in zijn armen. Dodelijk ongerust is hij. Manou, de vriendin van Ron, beseft hij.

Hij ziet haar bleke huid, haar oogleden trillen. Ze opent haar mond.

'Lieverd van me... Manou?' Fabian buigt zijn gezicht tot het vlak boven het hare is. Voorzichtig drukt hij zijn lippen op die van Manou. Een beter middel om gewekt te worden uit een bewusteloosheid bestaat er niet. Ze spert haar ogen open en weet meteen waar ze zich bevindt. 'Jij? Wat doe jij hier?'

'Er komt zo dadelijk een ambulance!' roept iemand.

'Jelle... in het bos... hij heeft...'

Een agent roept dat ze de twee al hebben gevonden.

Fabian helpt Manou te gaan staan. 'Ik verbind je arm. Of wil je wachten tot er een ziekenwagen is?' Zijn stem is schor van emotie. Manous lichaam schokt. 'Het is de schrik. Meer niet. Ik kreeg een dreun... O, Fabian!'

Ze barst in huilen uit en Fabian houdt haar stevig tegen zich aan.

Dan is daar Alex. 'Hoe is het met mijn dappere maatje?'

Gearmd tussen Fabian en Alex loopt ze naar buiten, het verwilderde bos in waar het nu een drukte van belang is.

Dirk is al afgevoerd, vertelt Alex.

Hand aan hand lopen ze achter elkaar over de plank. 'Wie had dit kunnen denken!' roept Alex als ze veilig en wel op het pad staan.

'Als ik dit had kunnen verwachten, Manou, had ik jou nooit meegenomen.' Ze wordt als een klein kind in Fabians auto gezet. Alex blijft achter om de politie alle mogelijke inlichtingen te geven. Waar Manou heengebracht wil worden?

Ze hikt en slikt, legt haar hoofd tegen de brede schouder van Fabian. 'Naar mama... naar mijn moeder, alsjeblieft!'

En Fabian denkt: vreemd dat ze liever naar moeders gaat dan naar haar vriendje.

17

RIEKJE OMRINGT HAAR DOCHTER MET ALLE MOGELIJKE ZORG EN LIEFDE. Om de winkel hoeft ze zich niet bekommeren. Zodra ze een telefoontje van Alex kreeg, heeft ze de winkel op slot gedaan.

Het is Manou momenteel om het even. Ze is niet alleen doodmoe, maar ook geschokt. Tegen de tijd dat Alex thuiskomt, voelt ze zich weer een stuk beter.

Hoewel Alex nog niet alle details weet, kan hij veel verklaren. Dirk is in feite een psychiatrische patiënt, die te goed is om opgenomen te worden. Maar of er nu nóg zo over hem gedacht wordt, is zeer de vraag.

Hij heeft Jelle op zijn manier prima verzorgd. Als eten kreeg hij brood en cola, soms een stukje fruit of een reep chocolade. Maar al die dagen heeft Jelle geen douche gezien, en moest hij zich redden met een afwasbakje met koud water. Van scheren was geen sprake.

Verder weet Alex te vertellen dat Jelle meteen naar het ziekenhuis is gebracht. 'Ik geloof dat hij zich kranig heeft gehouden. Maar ja, wat wil je, als getraind militair kan hij wel tegen een stootje.'

Of Manou liever bij Riekje en Alex overnacht?

'Je denkt toch niet dat ik nu opeens bang ben om alleen in huis te zijn? Nee, Alex mag me na het eten thuisbrengen.'

Een douche, schone kleren.

Later op de avond belt Emmelien. 'Ron komt je opzoeken. Ik kan niet weg vanwege Puckie. Meid, we kunnen wel bezig blijven met jou te bedanken! Jelle lijkt zich redelijk te voelen. Als hij nu maar niet nog meer psychische schade heeft opgelopen!'

Emmelien rebbelt en rebbelt. Manou luistert en geeft af en toe antwoord op een vraag. Als Ron aanbelt, breekt Manou het gesprek af.

Ron schudt zijn hoofd als hij Manou begroet. Ze heeft een badhanddoek als een tulband om haar hoofd gebonden en over haar pyjama draagt ze een badstof duster.

Ron kust haar – broederlijk – op een wang. 'Wat een staaltje detectivewerk! Mijn compliment. Met ons zal het hele dorp opgelucht zijn. En, wat zijn er toch een stakkers in de wereld, Manou!'

Manou beaamt dat. Ze drinken wat, knabbelen een paar toastjes op en dan zegt Ron weer op te stappen. Hij wil Emmelien naar het ziekenhuis rijden. 'Weet je wie op Puckie komt passen? Ietje! Nu hebben we drie ziekenhuisklanten. Wat zeg ik? Vier! Pa, Hanna en Jelle. En niet te vergeten onze Margriet.'

Manou is blij als ze alleen is. Wie er ook aan de deur komt, ze is voorlopig voor niemand thuis!

De volgende dag moet Manou met Alex mee om in het politiebureau een verklaring af te leggen. Dirk is meteen opgenomen. Triest, maar het is hún zorg niet.

Als ze thuiskomt, is niet alleen Riekje daar, maar ook Fabian, Ron en zelfs Emmelien. Op tafel prijkt een slagroomtaart, die Manou het water in de mond doet lopen. 'Een feestje... Wat leuk!'

Emmelien doet verslag over Jelles toestand. 'Jullie geloven me niet als ik vertel dat ik mijn oude Jelle terug heb! Alsof hij door de schok zich heeft gerealiseerd dat hij het zo slecht nog niet had. Tijdens zijn verblijf in de keet trok zijn hele leven, zei hij, aan hem voorbij. En zag hij wat hij allemaal nog over had. Het verlangen naar huis was zo enorm. Ik hoop dat hij snel ontslagen wordt.'

Fabian zit rustig op een stoel en slaat de aanwezigen gade.

Vooral Ron en Manou hebben zijn belangstelling. Hij weet zeker dat ze 'iets' samen hebben. Dat merkt hij, als goede observator, aan kleinigheden. De lichaamstaal, een snelle blik of glimlach.

Alex vertelt dat de keet in het bos zo snel mogelijk afgebroken wordt, want nadat het bericht over Jelle de ronde is gaan doen, is de belangstelling voor de plaats van het delict groot.

Een paar dagen later is het weer feest, omdat Jelle naar huis mag.

Manou heeft even opgezien tegen de ontmoeting en ze vraagt zich af of hij zich nog herinnert dat hij haar nogal onstuimig heeft benaderd.

Inderdaad is hij het niet vergeten en het eerste wat hij zegt, na een dankwoord, is: 'Sorry, Manou, voor mijn houding, die middag. Achteraf denk ik dat ik bezig was totaal door te draaien! Je bent een fidele meid...'

Manou besluit het gebeurde als een onbelangrijk incident af te doen. Er zijn belangrijker dingen aan de orde!

Zoals het herstel van Anton Herwaarden. De artsen zijn meer dan tevreden. Het gaat de goede kant op. Dat geldt ook voor Margriet.

Emmelien en Ron zijn het met elkaar eens: ze vinden dat Anton moet weten dat Manou een kind van hem is. Hun moeder, Narda, zal het vast niet moeilijk vinden om te horen dat haar echtgenoot als jongeman een relatie met Riekje heeft gehad. Emmelien beweert dat ze zelf niet zo ruimdenkend kan zijn, maar Ron zegt dat hun moeder vergevingsgezind is. 'Alles gaat in een leven nu eenmaal niet volgens het boekje.'

Ook over Hanna komen goede berichten. Ze heeft geen blijvend letsel opgelopen en eenmaal thuis zal ze moeten revalideren.

Manou schrikt als Ron en Emmelien met het verzoek komen of ze hun vader mogen inlichten. 'Daar kan ik niet zomaar 'ja' op zeggen. Mijn moeder is daar ook mee gemoeid. En wie geeft ons de garantie dat zij niet, misschien per ongeluk, zich verspreken?'

'Maar hij zou het geweldig vinden dat jij Margriets donor bent geweest. Zeg nou zelf, het is een wonder dat er voor haar op tijd een juiste donor is gevonden! Mag hij niet weten dat jij haar leven hebt gered?'

Als Manou het aan haar moeder voorlegt, blijkt dat zij er minder moeilijk over denkt dan voorheen.

'Na alles wat er zoal is gebeurd, word je ruimer in je opvattingen.' En nee, Riekje heeft zelf geen behoefte aan contact met hem en Narda. 'Het is genoeg als we elkaar ooit in het dorp of waar dan ook tegen-

...omen. Het is allemaal verleden tijd, Manou. Ik leer te leven in het ...eden en het nu. Zelfs vooruitdenken ben ik aan het afleren! Ik leer ...eel van mijn lieve Alex.'

Manou heeft bedenktijd nodig.

Haar winkel loopt prima en nu het zomerseizoen is aangebroken ...rijgt ze veel aanloop van toeristen. En tot haar schrik is er vraag naar Veluwse souvenirs. Klompjes, al dan niet met opdruk. Beeldjes van ...erten, afbeeldingen van de waterval.

Helaas, ze kan de klanten niet verder helpen, maar ze wil verko-...en. Dus plaatst ze een kleine stelling waarop de door haar verfoei-...le artikelen aangeboden worden. Wel blij was ze met een serie ...unstkaarten met prachtige bosfoto's. Als ze later ontdekt wie de ...otograaf is, namelijk Fabian, hangt ze een ingelijste serie in haar woonkamer.

Fabian ziet ze niet veel. Hij zegt druk te zijn met zijn zaak. De bouw ...chiet goed op. Als hem naar Marjan wordt gevraagd, zegt hij haar ...it het oog te zijn verloren.

Hartje zomer is Anton Herwaarden zodanig in balans dat hij op ...roef naar huis mag. Zijn vrouw Narda is in de tussentijd magerder ...eworden, het haar wat grijzer en de angst heeft gezorgd voor wat ...eer rimpeltjes. 'Vader heeft recht op een leuke ontvangst,' vindt ...mmelien, 'dat zal moeder ook goeddoen.' Ze organiseert een en ...nder en zelfs Hanna is met haar man van de partij.

En natuurlijk Fabian, die huisgenoot is.

'Jij hoort er ook bij,' bedisselt Emmelien. 'Al kom je maar even.'

Manou kan er niet omheen. Maar nerveus is ze wel.

Zodra ze Hanna ziet, vraagt ze zich af hoelang het duurt voor alle ...orpelingen ontdekken dat zij halfzussen zijn.

'Morgen gaan we met een delegatie naar Margriet. Ze heeft te ken-...en gegeven ons graag te willen zien,' straalt Ron. 'Maar we zijn ...ewaarschuwd, ze schijnt er heel slecht uit te zien. Margriet is niet ...lleen kaal als een biljartbal, ze is ook schrikbarend mager. Maar o zo ...onter!'

Ron springt op van zijn stoel. Hij is opeens weer de vrolijke jongen die hij was toen Manou hem voor het eerst ontmoette. 'We maken er een familiefeestje van. En foto's, die maken we ook. Goed om later terug te kijken. Ja toch? Als de narigheid in je leven passé is, dender je weer door, terwijl dankbaarheid vraagt om af en toe stil te blijven staan om te danken.'

Narda zegt ontroerd: 'Mijn jongen wordt nog eens een wijs man.'

Een familiefeestje wordt het. Met zijn ouders en zijn drie zussen in zijn kielzog stapt Ron de ziekenhuiskamer binnen. 'Margriet!' Natuurlijk schrikt hij toch van zijn zusjes uiterlijk. Maar de bruine ogen schitteren weer als vanouds.

Hanna zegt, als ze haar zus begroet: 'We hebben ook een loot van de Groningse tak meegebracht.'

Manou heeft Ron door. Jawel, hij wil dat sommige mensen uit zichzelf ontdekken dat ze een Herwaarden is, zoals Hanna deed...

Manou houdt zich stilletjes. Margriet is nog een vreemde voor haar. Dat zal in de toekomst wel anders worden... Tot Anton informeert naar haar moeder. Riekje toch? Is ze al getrouwd met Alex? Anton Herwaarden heeft weer belangstelling voor de mensen uit zijn dorp. Maar wat te raden valt, heeft hij niet door.

Het is najaar als Antons wens eindelijk in vervulling gaat: hij wordt ontslagen uit het ziekenhuis.

En dan is het weer feest. Bovendien is zijn lievelingskind een eind op de weg van genezing.

Manou houdt zich afzijdig. Fabian ziet ze nog steeds niet veel. Hij schijnt veel weg te zijn. Waarmee hij zich bezighoudt, weet Manou niet en vragen doet ze het niet.

De bouw van de winkels en bovenwoningen schiet snel op. Vóór Kerst zullen de winkels geopend worden. Tot zolang verblijft Fabian veel bij de familie Herwaarden, maar af en toe trekt hij toch naar zijn ouderlijk huis. Onverwacht duikt Marjan de Wit weer op en ze krijgt het voor elkaar door mevrouw Goossen uitgenodigd te worden om te logeren.

Gearmd met haar gastvrouw duikt ze op in Manous winkel, die in herfstthema's is aangekleed. In de koperen kan staan vlammend rode takken van een Amerikaanse eik, geplukt in de tuin van de Herwaardens.

Marjan gedraagt zich aanstellerig, constateert Manou kribbig. En dat niet alleen, ze behandelt haar vanuit de hoogte.

'Na Kerst gaat de familie weer naar het zuiden. Ze willen de opening van Fabians zaak meemaken en zo vergaat het mij ook.'

En ja, ze is van plan een paar weekjes in Spanje te gaan logeren.

Het is een opluchting als de dames, mét hun inkopen, de zaak verlaten. Manou kijkt hen met boze ogen na. Het is duidelijk dat mevrouw Goossen denkt een schoondochter onder haar hoede te hebben.

'Wat kijk jij boos!' vindt Ietje als ze met een grote doos in haar handen de winkel binnenstapt. 'Emmelien heeft de zolder opgeruimd en vond leuke spulletjes die voor jouw winkel geschikt zijn. Een glaswerkverzameling, ooit vergaard door een of andere oma.'

Manou bewondert de inhoud van de doos. De stukken zijn niet van grote waarde, maar alleraardigst om tussen de andere spullen te zetten. Ietje kwebbelt, zoals gewoonlijk, Manou de oren van het hoofd. Met Jelle gaat het zo goed! Het is of hij tijdens zijn verblijf in de boshut zichzelf terug heeft gevonden. En hoe vindt Manou het dat Emmelien zwanger is?

Dorpsroddels. Zolang ze maar niet kwetsend zijn, vindt Manou het best. Soms is het zelfs gemakkelijk als je iets te weten wilt komen een Ietje te kennen... Ziet Ietje die Marjan nog weleens?

Ja ja, ze gaat geregeld met Fabian op stap. Of het wat zal worden, is niet duidelijk.

Wat Manou wél duidelijk is, is dat ze haar hart aan Fabian heeft verloren. Ze verlangt naar de dagen toen hij pas bij hen in huis vertoefde. Dat ze er niet méér van heeft genoten! Blind is ze geweest. Maar wat moppert ze toch? Ze is toch bezig haar winkel van de hand te doen? Alleen doet het zo'n pijn. De advertentie is al opgesteld.

Totaal onverwachts duikt Anton Herwaarden op in haar zaak. 'Ik dacht bij mezelf: kom, ik moet nu eindelijk eens een kijkje nemen of Manou het hier redt. En van wat ik gehoord heb, lukt dat aardig. Meisje, wat ziet het er hier alleraardigst uit! Je bent een aanwinst voor het dorp.'

Manou flapt eruit: 'Maar niet lang meer... ik ben al bezig...' Ze verschiet van kleur. Anton zet zijn pet af. Manou ziet meteen dat zijn haar grijs is geworden. Niet meer gemêleerd donker, maar wit zijn de haren, wat hem goed staat. Zijn huid is ook niet langer ziekelijk bleek.

'Wat zeg jij! Je wilt de boel verkopen? Dat meen je niet. Dat zou erg dom zijn en ik dacht dat jij je hier thuisvoelde. Mijn hele gezin loopt met je weg.'

Manou voelt tranen in haar ogen prikken. Deze man heeft haar niet grootgebracht, maar ze voelt de binding.

Anton trekt een stoel van rotan die voor de verkoop is bedoeld naar zich toe en gaat zitten.

'Ik heb een ontdekking gedaan. Namelijk wie de donor is aan wie mijn dierbaar kind haar leven te danken heeft. Dat is een van mijn andere dochters. En wel jij!'

Manou wil ontkennen, maar dat heeft geen zin. Anton lacht haar warm toe. Hoe hij dat weet?

'Ik heb zojuist je moeder opgezocht en al pratend zijn we elkaar nader gekomen. Haha! Niet zoals vroeger, begrijp me goed. Op een gegeven moment werd het me duidelijk en ze sprak me niet tegen. Kindlief, hoe kan ik je bedanken! Kom eens bij me...'

Manou schuifelt achter de toonbank vandaan en staat toe dat hij haar handen pakt. 'Ik wil graag iets voor je betekenen. Je vader zal ik nooit kunnen worden. Ik heb bij Riekje een foto zien staan van jou en je vader. Maar echt, ik wil er voor je zijn als er iets is waar je hulp bij nodig hebt!'

Manou kan er niets aan doen dat de tranen over haar wangen druppen. Ze trekt haar handen los en veegt over haar gezicht. Anton tovert een hagelwitte zakdoek tevoorschijn en strijkt er liefdevol mee over haar ogen.

Opeens stuwt er een verlangen naar hem op, zoals een mens dat voelt bij een natuurlijke vader. Ze buigt zich voorover en zoent hem op een wang.

Dochter, we moeten elkaar snel eens uitgebreid spreken. En hoe het verdergaat, zien we wel. Wat mij betreft hoeft het geen geheim te blijven en... doe me niet aan weg te gaan uit het dorp!' Puzzelstukken die op hun plaats vallen, zo voelt het. En ja, Manou wil niets liever dan de bijna onbekende halfzus Margriet leren kennen. De Herwaarden... Het voelt goed, als familie.

De sinterklaasdrukte is voor Manou overstelpend. Ze verkoopt als nooit tevoren. Af en toe is het nodig dat haar moeder inspringt. En als Riekje niet voor warm eten zorgde, zou Manou zich hoogstens met pizza's of iets dergelijks gevoed hebben.

Alex heeft voor een slanke kerstboom gezorgd, die hij met toestemming uit het bos bij het vakantiepark mocht graven.

Sinterklaas is nog niet het land uit of de boom staat al in de etalage. Alex zegt er nog een te hebben en wel voor Fabian die over een paar dagen zijn fotoshop opent. Naast hem zijn mensen van een warenhuisfiliaal bezig de winkel in te richten, aan de andere kant is een reisbureau.

Vlak voor de officiële opening is er op een doordeweekse avond een ontvangst voor de collega-winkeliers, die de nieuwkomers achter elkaar kunnen feliciteren.

Ook Manou is van de partij. Ze moet wel. Fabians moeder en Marjan de Wit zorgen voor de drankjes en hapjes.

Manou is met Emmelien gekomen, maar al snel is ze haar kwijt in de drukte.

Fabian is het middelpunt. Hij heeft zich geschoren en de huid van zijn gezicht lijkt een paar tinten lichter. Het is duidelijk dat hij zelfs naar de kapper is geweest. In zijn kostuum ziet hij er bijzonder aantrekkelijk uit, Manou ziet het met pijn in haar hart. Hij staat mensen die iets willen weten te woord, drukt vele handen en zegt dankbaar te zijn voor de bloemstukken. Manou schuifelt in zijn richting. Maar net voor ze in zijn buurt is, klinkt er een gil. Mevrouw Goossen laat een blad met – lege – glazen vallen en komt blijkbaar ongelukkig terecht. Marjan schiet haar te hulp, probeert haar overeind te hijsen. Mevrouw Goossen kermt en kreunt. Fabian maait de bezoekers uit de weg en hurkt bij zijn moeder neer. 'Je hebt je enkel verstuikt, ma, dat is zo klaar als een klontje. Marjan, neem jij haar mee. Ze moet een stevig verband om en met ijsklontjes uit de diepvries kun je een verkoelend kussentje maken. Voet omhoog! En laat haar niet alleen. Kom, ma, dan zet ik je in de auto.' Een vriendelijke gast neemt die taak van Fabian over. 'Je kunt ook een zak doperwtjes nemen, mevrouw,' roept iemand anders.

Fabian grijpt Manou bij een arm. 'In de gangkast, daar vind je stoffer en blik. Alsjeblieft?'

Manou is liever bezig dan dat ze op haar beurt wacht om Fabian te feliciteren.

Ze veegt het glas zorgvuldig van de vloer en als ze het gereedschap weer heeft opgeborgen, vraagt ze zich af of Fabian hulp nodig heeft, nu de twee dames zijn uitgevallen.

Het blijkt dat hij het vanzelfsprekend vindt dat Manou de plaats van hen inneemt. Tegen negen uur zijn de flessen leeg en de hapjes op. De bezoekers druipen af. Er zijn nog meer winkels die bezichtigd moeten worden.

Met de armen vol lege flessen blijft Manou bij een deur staan, die Fabian voor haar opent. 'De flessen kunnen in de keuken hierachter.' Manou is warm van emotie en het bezig zijn. 'Ik heb je nog niet eens gefeliciteerd.' Fabian grinnikt en wrijft in een gewoontegebaar over zijn wang. 'Dat kan zo ook nog. Hé, bedankt, je was geweldig.' De glazen kunnen in een doos, die door de catering zal worden opgehaald. Fabian staat een laatste bezoeker, die iets over video-camera's wil weten, te woord. Manou houdt het voor gezien. Ze wil langs Fabian de winkel uit glippen, maar dat lukt haar niet.

Hij houdt haar stevig bij een arm vast. Hoe ze ook wringt, het lukt niet om zich los te werken.

De klant knikt tevreden en zegt morgen terug te komen. Met een stapel foldertjes verlaat hij het pand, waarop Fabian de deur achter hem sluit.

'Waarom ontloop jij me nu al weken? Sinds dat gedoe met Jelle lijk ik wel lucht voor jou. Terwijl je optrekt met de familie Herwaarden. Ik wil eindelijk duidelijkheid, Manou! Is of wordt het wat met jou en Ron?'

Manou verbleekt. Het is niet de bedoeling dat iedereen weet van hun relatie. Maar dat Fabian als vriend en huisgenoot zelf niet heeft ontdekt wat moeilijk geheim is te houden, verbaast haar.

Ze wrijft over haar arm, Fabian heeft sterke vingers. Hij dooft de meeste lichten, alleen die in de etalage blijven aan. 'Beveiliging. Overal moet je tegenwoordig om denken. Kostbare spullen heb ik hier staan. Straks laat ik het ijzeren hekwerk neer. Zo, nu jij weer!'

Manou zoekt een uitweg, ze wil hier vandaan.

'Zeg op!' Er klopt iemand op de gesloten deur, maar Fabian reageert niet. Hij trekt Manou mee naar het achterhuis.

Ze kijkt verwilderd om zich heen.

'Ron! Ja of nee?'

Ze schudt haar hoofd.

'Heb je een blauwtje gelopen? Ik heb zelf gezien dat jullie elkaar omarmden. Je moet eraan denken je overgordijnen te sluiten als je aan het vrijen bent!'

Zijn stem klinkt rauw, bijna lelijk.

'Vrijen? Hij is toch mijn...' Tja, zo worden geheimen ontsluierd, schiet het door haar heen.

'Je wat?' schreeuwt Fabian. Ergens in huis gaat de telefoon, maar ook dat negeert hij.

'Ik word er ziek van. Als ik denk dat je wat om me geeft, zie ik je weer met Ron. Nooit heb je naar mij gekeken zoals je dat naar hem doet!'

Manou voelt een onverschilligheid over haar komen die haar vreemd is. 'Jij bent dan ook niets van me... geen broertje. Ga jij maar naar je Marjan! Ze kan het ook al goed met haar schoonmoeder vinden.'

Fabian trapt ruw tegen een keukenkrukje. 'Kan best, maar mijn moeder is niet haar schoonmoeder, als je dat maar weet. En wat broertje...'

Opeens valt hij stil en kijkt met grote ogen in die van Manou.

'Wat probeer je me te zeggen! Broertje... Bij mijn weten is Ron... Maar nu je het zegt! Je bent als twee druppels Hanna Herwaarden. Kom op, ik wil het weten!'

Manou lacht nerveus. 'Als je het niet verder vertelt! Mijn moeder en Anton... die hebben vroeger samen iets gehad en achteraf is dat maar goed ook, anders was er op korte termijn geen donor voor Anton geweest! Het was een *onenightstand*. Mijn preutse mama!'

Fabian stopt zijn handen diep in zijn zakken, doet een paar stappen achteruit waarbij een ander krukje tegen de vlakte gaat.

'Dus jij bent een vrije meid... Tot nu toe, mag ik hopen. Manou Altena, je maakt me gek met die mooie ogen van je. Dat stille glimlachje dat altijd voor een ander is. Sinds ik jou ken ben ik bezig mijn leven een draai te geven. Uit is het met lange reizen en opdrachten die me het land door jagen. Ik heb me hier gevestigd in de hoop dat je net zo veel van mij zult gaan houden als ik van jou doe. Zeg me wat ik moet doen om je voor me te winnen!'

Manou slikt en slikt. Ze wil tegelijk wegrennen en blijven. Ze kijkt bevreesd naar het ernstige gezicht, dat nu zo dreigend en vlak bij haar is. 'Jij...' Ze klemt haar handen om de revers van zijn colbert. 'Jij bent het die alles fout ziet. Ron, nota bene. Jij kwam met die Marjan aanzetten. Een vrouw bij wie iedere andere vrouw zich een duffe verschijning voelt!'

Fabian is een man van de daad. Hij zal haar weleens duidelijk maken wat zijn mening is! En dat kan maar op één manier. Hij pakt haar gezicht in beide handen, Manou ziet tot haar schrik dat zijn ogen betraand zijn.

'Lieve Manou, mijn alles, laten we niet langer elkaar voor de mal houden. Ik houd meer van jou dan ik kan zeggen. Jij bent... jij bent mijn leven, jij geeft zin aan mijn bestaan. Tenminste, als je wilt!'

Manou legt haar armen om zijn hals. Schuchter, het is nog zo nieuw. 'Ik ben al zo lang verliefd op je. Maar ik ben geen type dat ermee te koop loopt. Vooral niet toen Ma...' De rest wordt gesmoord in een intense zoen die voor zichzelf spreekt. Als Manou eindelijk weer denkt normaal te kunnen ademen, straalt ze hem tegemoet.

'Ik houd van je, Fabian. Ik houd van je donkere gezicht, je te lange haar... Alleen, weet je wel hoe ruw je wangen aanvoelen? Ik heb het gevoel of mijn gezicht openligt! Een paar uur geleden was je zo glad als een biljartbal!'

Fabian trekt haar mee naar boven, naar de nog niet ingerichte verdieping. 'Telkens als ik in de verleiding kwam om wat aan te schaffen, dacht ik hoopvol aan jou. Dus je weet wat ons te doen staat. Je denkt toch niet dat ik in dat kleine huisje van jou wil wonen? Het lijkt me te gehorig en bij wat ik in gedachten heb, hebben wij geen luistervinken nodig!'

Als enig meubilair staat er een vergeten behangerstafel, geen geschikte plek om je te nestelen.

Uiteindelijk belanden ze op de bovenste traptrede.

Beiden zijn na de afgelopen heftige minuten gekalmeerd. Dicht tegen elkaar zitten ze, alsof de één een schuilplaats bij de ander gevonden heeft. 'Weet je nog, toen in het bos... dat gedoe met Jelle...' 'Weet je nog...'

'Toen dacht ik dit, en jij? Dacht je toen ook al aan mij als je vrouw? Het is buiten al stil op straat als ze zich eindelijk van elkaar losscheuren.

Manou loopt duizelig naar beneden. 'Het zal allemaal zo anders

worden. Ik denk niet dat ik vannacht een oog dichtdoe. Dat ik je ma
aanraken...'

Beneden trekt Fabian haar opnieuw in zijn armen. 'Ik kan gee
genoeg van je krijgen. Er zit maar één ding op, Manou Herwaarde
– Altena... Wat een verwarring. Je moet zo snel mogelijk van achter
naam veranderen. Wat dacht je van Goossen?'

Toch gaan er nog maanden voorbij eer het zover is dat er getrouw
wordt. Manou mist opeens met een felle pijnscheut haar vader. Papa
'Ik weet het toch!' fluistert haar moeder als ze ziet dat haar dochte
als bruid gekleed, tranen in haar ogen heeft.

'Jij was zijn alles. Je hebt hem geluk gegeven. Laat dat je tot troos
zijn, meisje!'

Een trouwdag zoals zo vele. Maar voor de betrokkenen is het alle
maal gloednieuw. Het begin van een nieuw leven, twee mensen di
samen één willen zijn in doen en denken. Die dat niet zonder d
zegen van de Hemelse Vader kunnen. Ze hebben Zijn leiding al eer
der ervaren.

Alex mag de bruid weggeven.

Dan is het moment daar. Manou schrijdt aan de arm van Alex ove
de uitgelegde loper. Hoofden draaien zich om. Een bruid is toc
altijd weer iets héél bijzonders! Daar is de bruidegom het gloeiend
mee eens, tevreden als hij is met de tweede plaats.

Dan draait Fabian zich om en een moment is het in de dorpsker
doodstil. Hun ogen vinden elkaar, alsof die luid het jawoord zoude
kunnen uitroepen.

Nog één stap, dan staan ze naast elkaar. Even lijkt het of Fabian zij
vrouw voorbarig al wil kussen. De mensen in de kerk lachen inge
houden, en fluisteren elkaar leuke en minder leuke dingen toe.

De organist laat het orgel zacht spelen. Dan valt het geluid weg e
neemt de predikant voor in de kerk zijn plaats in.

En in dat ene moment van volmaakte stilte denkt de moeder van d
bruid: Eindelijk is mijn kind thuisgekomen!